JN097523

OKAWA Shiori

なぜ戦争をえがくのか

戦争を知らない表現者たちの歴史実践

小泉明郎

諏訪 敦

武田一義×高村 亮

遠藤 薫

寺尾紗穂

土門 蘭×柳下恭平

後藤悠樹

小田原のどか

畑澤聖悟

庭田杏珠×渡邉英徳

大川史織

はじめに

歴史は過去のこと？

二〇〇六年、夏。わたしはポーランドのアウシュヴィッツ・ミュージアム唯一の日本人ガイド、中谷剛さんの語りに耳を傾けながら、「絶滅収容所」と呼ばれた場所を歩いていました。

当時、高校三年生だったわたしは、犠牲者の髪や遺留品、収容所棟のベッドやトイレを目の当たりにしながら、ここで起きたことが、自分が知らない六〇年前の出来事でよかったと、心のどこかで思っていました。

そんなわたしの心を読んだかのように、中谷さんは立ち止まり、こう問いかけました。

「この場所で起きたことが、過去のことだと思いますか？」

今思えば、この本がうまれたのは、この問いかけからはじまります。

〈過去の、未来には起こりえない出来事〉として、歴史を捉える。あるいは、〈未来にも起こりうる出来事〉として考えながら、知ろうとする。

このふたつのアプローチでは、同じ場所に立ち、同じ対象を見ていても、受け取り方や見え方は大きく変わってきます。実際、収容所で起きたことの歴史的な背景を頭に入れても、どれだけ想像力を働かせてみても、それが六〇年前であろうと、一万年前であろうと、現実に起きたこととして捉えることの難しさに、わたしは途方に暮れていました。

ところが、未来にも起こるかもしれない出来事として、この場所で起きたことを考えはじめると、それまでは浮かばなかった疑問や感情が、不思議なほど湧き出てきました。

「二度と繰り返したくないと願う出来事であっても、僕たちは知らず知らずのうちに、過去とは違う形や方法で、思いのほか早く簡単に、再びそれを手繰りよせてしまっているかもしれない。僕のことばも、鵜呑みにせず、疑って聴いてほしい。自分の目でよく見て、よく聴いて、よく考えて――」

ビルケナウ収容所の引込線の前で、中谷さんのガイドが終了したとき、自分とは直接かかわりがないと、遠くで起こった/起きている出来事として、過去の/現在進行形の歴史を捉えてしまう態度をあらためようと、わたしは決意しました。

しかし、その実践は、思っていたよりも、ずっと、ずっと難しいことでした。

アウシュヴィッツのすぐ後に訪れたマーシャル諸島共和国では、日本では遠く感じられた太平洋戦争を、とても近くに感じました。戦争を、その前の委任統治時代に出会った日本人との思い出を、マーシャルの人たちは目に見える戦跡や手工芸品、あるいは目に見えない歌や名前など、さまざまなかたちで憶えていました。

いっぽうで、日本の人たちはマーシャルで戦争をしたことも、日本語で心を通わせあったことも忘れています。忘れてしまう以前に、そのような時代がわずか六〇年前まであったことを知らぬままマーシャル諸島に出会ったわたしは、マーシャルと日本の歪な関係を問い直したいと思いました。

ところが、マーシャルがまったく見えない帰国後の日常の中で、その思いは驚くほど急速に、記憶の彼方へと葬り去られていきました。マーシャルで感じたことを憶えていたいと思ったことすら忘れてしまいそうになっていた大学時代を経て、卒業後、マーシャルへ移住。そこから七年かけて、マーシャルのドキュメンタリー映画『タリナイ』をつくり、映画と対になる、その島で餓死した日本兵が書いた日記をめぐる歴史実践の本を編みました。

〈忘却としての戦後〉の中で

まもなく日本は、太平洋戦争を体験した、当時を知る世代がいない時代を迎えます。とはいえ、一九五〇年代後半から（敗戦からわずか一〇年で）戦争体験の風化は始まっていたといいます。長い長い〈忘却としての戦後〉の中で、体験していない戦争を語ろうとするとき、わたしはアウシュヴィッツで起きたことを自分のことばで語る中谷さんを思い出します。

中谷さんのように、直接かかわりがない戦争について知り、学び、怖れずに伝える力を磨きたいという想いに駆られます。

当事者にしかわからない体験や記憶を語り継ごうとするとき、どのような方法があるでしょうか。過去の出来事を〈未来に起こりうる〉こととして想像することも、ひとつの方法です。

知らないことを知ろうとするとき、〈歴史する〉実践方法やそれを伝える表現の仕方もさまざまです。

この本では、写真を撮る、絵を描く、小説や漫画を書く、映像、音楽、演劇、工芸、彫刻、アプリを作るなど多彩な表現で歴史実践をしている表現者たちが、どのように思考をめぐらせ、ことばを選び、なぜ戦争をえがこうとしているのかを知りたいと思いました。

国家間の戦争の狭間で生きた〈ひとり〉の声を聴き、その声の中に潜む引き裂かれた思いや矛盾を、〈ひとり〉の表情、息遣い、生き方、死に方を通して丁寧にえがく表現者たちの語りに耳を傾けると、〈戦後〉や〈平和〉といった多用しがちなことばによって、見えなくなってしまう無数の〈ひとり〉がいることを思い知ります。

マーシャル諸島の人びともそうです。日本でいう〈戦後〉わずか一年後の一九四六年から、マーシャルでは米国による核実験が行われました。その実験は、世界の〈平和〉のためという美名のもと、六七回も行われました。放射能で汚染されたふるさとの島に帰ることができず、いまなお被ばくの後遺症に苦しみ、心身に深い傷を負ったたくさんの〈ひとり〉の声に耳をすますことで見えてくる〈戦争〉を考えることは、わたしたちが教科書やニュースで知っている〈戦争〉と、なにが違うのでしょうか。

戦争に限った話ではありませんが、とりわけ戦争は、語る側の都合の良い記憶が、歴史となって語り継がれていく力学が働きやすいものです。この本では、そうした語りやすい歴史としての戦争からこぼれ落ちた〈ひとり〉の歴史、あるいは歴史として認識されることなく、忘れ去られていった戦争について語ろうとしている人に話を聞きました。それは、記憶がいかに曖昧で、揺れ動いていて、たよりないかを知ることでもありました。

その時代に当事者が経験した表現しがたい体験を、ことばにできないトラウマを、体験していない人が語るのはとても難しいことです。

まじめな人ほど、自分には語る資格がないと避けてしまいがちなことかもしれません。知らないから、わからないから、語らない／語れないのではなく、わからないからこそ、知ろうとして、わかろうとして、伝えようとする。そんな表現者たちの声に耳をすませることは、知っていると思いこんでいた〈戦争〉からもっとも遠い場所にひっそりと眠る〈ひとり〉や、叶わぬ願いを抱えながら今もどこかで暮らしている〈ひとり〉に、想いを馳せることでもありました。

多彩な表現者たちとの歴史実践

インタビューは、取材順に並べました。そこには特別な意味や意図はありませんでした。にもかかわらず、その時、その場所で、語られた話を時系列に並べることで、偶然が、必然のように意味を持ちはじめる（より正確に表現するならば、意味を持つようにわたし自身が想像しはじめる〉ことに気がつきました。

それは、一〇組の話の至るところにつながりを見出すことであり、日々の暮らしを注意深く観察することであり、同時に、社会や世界といった、わたしたちを取り巻く大きな流れに意識を向けることでもありました。

そのような〈偶然のなかにつながりを見出す想像力〉が、わたしたち〈ひとりひとり〉の物語を生み、その物語のつながりを意識することで見出す発見がさらなる発見を呼び、視野がひらかれていく――そんな歴史実践の楽しさを味わいました。

この本のちょうど真ん中に差し掛かった頃、世界は新型コロナウイルスのパンデミック下に突入しました。予期せぬ形でかつての日常は非日常となり、日々、わたしたちは〈ひとり〉の命の重みが問われる時間を過ごすことになりました。中谷さんが言っていたように、過去とは違う形や方法で、思いのほか早く簡単に、戦時下の暮らしを手繰り寄せたようでもありました。

会いたい一〇組をあらかじめ決めてから、編んだ本ではありません。ひとり／ひと組との出会いが、次の出会いを呼び寄せて、本の顔が、性格が次第に浮かび上がっていく作り方ができたことも、今に意識を向ける歴史実践の本をつくる上では、自然なかたちでした。

一〇組の共通点を考えてみると、アート、ジャーナリズム、アカデミズムといった境界を軽やかに横断していることがあげられます。その共通点のなかで表現方法をいくつかあわせ持っている人もいます。「戦争をえがくつもりなどなかった」という人もいます。そのような越境性、多様な方法、意図せず入り込んでしまう視点が、わたしはいま戦争を考える上で、とても大切なことだと思います。

仕事場や食卓へおじゃましたり、ゆかりのある地で待ち合わせをして、話をうかがいました。

いちばん遠い場所は、国境を越えて、三泊。布団を借りて寝食をともにさせてもらいました。

ひとと巡りあうこと、食事をすること、旅をすることも、歴史実践のひとつです。

前半、インタビューのあいだにマーシャル諸島、ベトナム、韓国に旅をした記憶も、一緒に綴じました。

後半の最後の三回は（本を編んでいる途中までは、想像もしませんでしたが）オンライン空間で集合することになったのも、表現と歴史実践をあらためて問い直すきっかけになりました。

ひとつだけ、最初に決めていたことがあります。

この本では作品の写真や図版を掲載せず、ことばだけで編むということです。

正直なところ、何度もほんとうにそれでよいのか悩みました。ことばでは伝わりきらないことを、ことば以外の方法も用いて伝える工夫を凝らすこともできました。その方が親切な本であったかもしれません。それでも、ことばだけで編むことに決めたのには、理由があります。

ひとつは、当事者のいない時代に戦争を考えることは、わたしたちが戦争を語る〈ことば〉を考えることでもあるからです。多くの場合、戦争体験はことばで語られ、伝えられていきます。


いっぽうで、ことばが万能ではないことも、わたしたちはよく知っています。ことばだけでは、どうしてもこぼれ落ちてしまうものがあるから、わたしたちはそれ以外の方法でも伝えようとします。しかし、そうして表現された作品との出会いにも、わたしたちはことばを必要とします。そして作品について語りあうときにも、人に伝わることばが求められます。時に、ことばは事実や本意を必ずしも的確に伝えるものではないことを知りながら、それでもわたしたちのコミュニケーションの中心にはことばがあります。だからこそ、ことばだけでどれだけ伝えられるかということに挑みたいと思いました。


この本を読んだら、きっと表現者たちの作品に触れてみたくなると思います。

彼らのえがいた作品を読む、聴く、観る、体験する、その一連の歴史実践までを含めて、この本の読書体験と考えて編みました。巻末で紹介した参考文献も、よかったら活用してください。

もしかしたら、先に作品に触れてからこの本を読みたいと思う方もいるかもしれません。

どうぞ鑑賞後に、また本を開いていただけたらうれしいです。

なぜ戦争をえがくのか
戦争を知らない表現者たちの歴史実践

目次

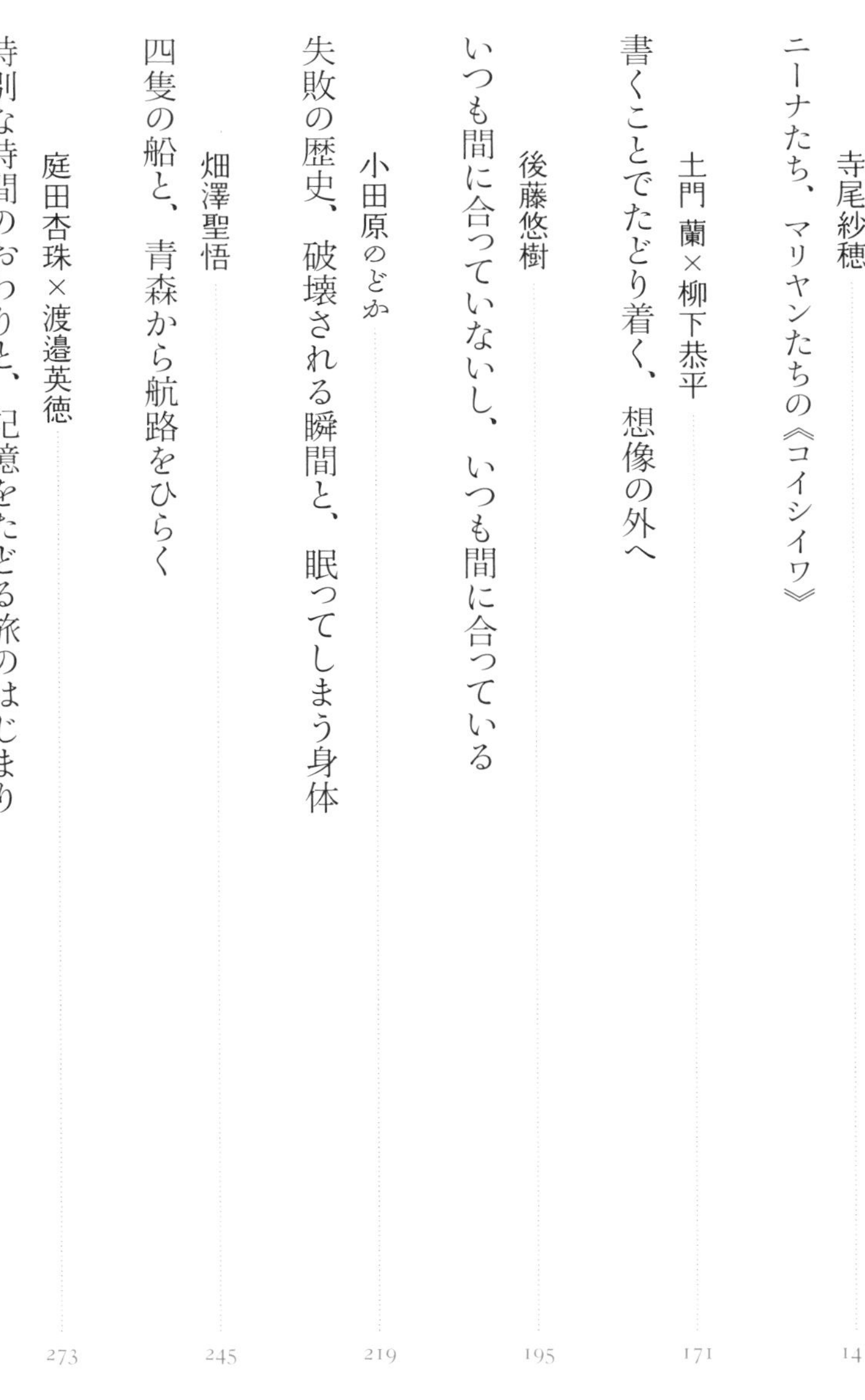

なぜ戦争をえがくのか

戦争を知らない表現者たちの歴史実践

KOIZUMI Meiro

1.

逃れようのないものへの違和感や怒り

小泉明郎

二〇一九年六月八日　横浜市旧深谷通信所

中国

アフガニスタン

イラク

戸塚駅は、大規模な再開発でがらりと姿を変えていた。

待ち合わせ場所の西口交番前から空を見上げると、雲間から陽光が射し込んでくる。ほっと胸を撫で下ろすと、車の運転席から手を振る小泉さんが見えた。

今回取材場所として小泉さんから提案された「ちょっと変わっていて面白い」ところは屋外だった。アクセスが悪いので戸塚駅まで迎えに行きますとのご厚意に甘えて、助手席に座った。

戸塚は子どもの頃の記憶と深く結びついている街だ。父方の祖父母の家で元旦を迎え、翌朝箱根駅伝を沿道から応援するのが楽しみだった。テレビで見るより何倍も速く目の前を駆け抜ける選手にエールを送っていた情景が車窓から流れる景色と重なり、幼い頃の記憶がみるみる蘇る。

興奮してその話をしていたようだ。せっかくだから行ってみましょうと小泉さんはハンドルを大きく右に切り、思い出の道へと車を走らせた。

他人の、ほんの小さな記憶を拾うためだけに迷わず遠回りを選ぶ。

前方に見えてきたガードレールの向こう側に、祖父母と並ぶ小さなわたしが立っているのを一緒に確認すると、小泉さんは頷きながらゆっくりと車をUターンさせた。

この取材の数カ月前に、小泉さんの映像インスタレーション《私たちは未来の死者を弔う》を北千住BUoYで鑑賞した。その後のトークイベントで小泉さんは、以前から南京やアウシュヴィッツで死と対峙する人々に関心があり、国家レベルでなく個人にとっての儀礼をよく見つめたいと考えていたこと、今回若者たちと一緒に作品を作ることで、戦時中と今を結びつけたいと思ったことを語った。撮影前、小泉さんと若者たちは自衛官に話を訊いていた。自衛官に採用されると、最初の三カ月で〈個〉が削ぎ落とされるという。訓練で連帯感や高揚感が育まれていく過程を辿ってから、撮影に臨んでいた。

撮影場所は都内の米軍基地跡地で、西陽の中で行う構想だったという。ところが、当日は極寒の雨。〈未来の英雄/死者たち〉を弔う儀式の撮影は、雨風吹き荒ぶ中で行われた。参加した二〇名の若者たちは「あなたは何かを守るために命を投げ出せますか?」という究極的な問いに、演出や演技どころではなく身体の芯まで凍え切った状態で答えていたことが笑い話として明かされた。

今日も米軍基地跡地へ向かっている。

昨日、関東の梅雨入りが発表されたばかりで雲行きは怪しかった。突然の豪雨も覚悟していたが、傘の出番はなさそうだ。住宅街から人気の少ない緑の一本道を抜けると、広々としたグラウンドが見えてきた。

国家の矛盾とアイロニー

空高く響き渡る打球の音と鳥のさえずりに耳を澄ませながら、雨上がりの芝を踏みしめて歩く。ここは、深谷通信所跡地。元は旧日本海軍の通信基地だった。敗戦後七〇年間米軍に接収されていたが、地域の住民は菜園や野球場として利用することができた。五年前に返還され、今は国有地となっている。直径一キロの円い形をした広大な土地だ。

「中心に高さ一六〇メートルの巨大なアンテナが立っていて、ここからハワイまで電波を飛ばしていたんです」と小泉さんが指差す方角に、今は見えないランドマークがあった風景を想像する。太平洋の島々とつながりを感じられる場所で、小泉さんはわたしが初めて作ったマーシャル諸島のドキュメンタリー映画『タリナイ』の感想から語り始めた。

映画に出演している佐藤勉さんは、二歳でお父さんと別れたんですよね。自分も三〇代の後半に、いま六歳になる子どもができました。もし息子が二歳の時に自分がいなくなったらと想像すると、すごくグッとくるものがありました。

なんといっても象徴的だったのは慰霊祭のシーン。矛盾を美しく描いています。映画『サウルの息子』（ネメシュ・ラースロー監督、二〇一五年、ハンガリー）を思い出しました。

極限状態のアウシュヴィッツで子どもが死んで、どうにかして人間として弔おうとするサウルと同じように、佐藤さんも遠い南の島で、人間以下の状況で死んでいったお父さんを人間として弔いたいという気持ちだったのでしょうか。

そういった想いを最初から説明的に描くのではなく、個人に焦点をあてて少しずつ描いていく。ところがそのクライマックスにあたる慰霊祭で、国家が出てきてしまう。そこに日本的な儀式を知らない地元の人も参加していることでアイロニーが入ってくる。不思議な気持ちになりました。

弔うことのなかに国家の暴力や規定があって、そこでは歪な儀式が行われている。そこに佐藤さんの個人的な声が重なってきて、観る者を感情的に揺さぶる。ただの反戦メッセージではなく、白か黒だけではない両面性を描くことで、無意識のレイヤーを扱う作品になっていることが重要だと思いました。

無意識に潜む権力

ウミガメの場面も印象的でした。こんな楽園みたいな、生命に溢れている場所で食べるものがなくなるとはどういうことなのか、想像ができない。でも、ウミガメを殺して食べるという話が入ることでアイロニーが描かれていて、とてもグロテスクです。人肉食が示唆されるこわいシーンが、さりげなく、爽やかに描かれている。

アイロニーやダークな部分や国家の矛盾も描きながら、人間的な親しみに軸足があるから作品がとても温かい。その上で、朝鮮や台湾の人々を労働力として連行してきた証言など、具体的な暴力の記憶が垣間見えます。そのような複雑さの表現がすごく大切なんだと思います。自分も同じ関心をもって制作していますが、もし同じテーマを扱ったら、もっと対立を強調してしまうかもしれません。

マーシャル諸島でウミガメはご馳走だ。蒸し焼きやスープとして祭事で振舞われる。島の食文化を伝える場面でもありながら、そこで繰り広げられた話は戦時中の加害と被害をめぐるものにもなった。以前、米国コロラド州デンバーで上映した際「ウミガメのシーンはいらないと思った」と感想をもらったことがあった。真意はわからなかったが、理由を聞いてみたかったことを思い出す。

ここ深谷通信所が日本海軍の通信基地だった頃、米軍の飛び石作戦によって補給路を絶たれたマーシャル諸島のウォッチェ環礁では、敗戦までの約一年半、飢えとの闘いを強いられた。生還兵の証言では、復員船から振り返った島には椰子の木が一本しか残っていなかったという。その後一九四六年から六七回に及ぶ水爆実験が行われ、ヤシの実や魚介などの食料を得ながら自然とともに生活していた暮らしが一変した人々もいる。今は輸入食品が主食と

なり、**戦時中**は**自然**を**食**い**尽**くすほどの**飢**えがあったと**想像**することは**難**しい。**小泉**さんは、**過去**にお**父**さんが**食**べられてしまう**夢**を**見**たことがあるという。

小さいころに見た夢です。食糧難で、誰かが鶏のエサにならないといけない。そこで、父が何者かに連れて行かれてしまいます。「明郎、仕方がないんだ。お父さんは選ばれちゃったんだから」と父はその状況を受け入れていますが、悲しくて仕方がない。目が覚めても悲しくて泣く夢を見たのは初めてだったので、よく覚えています。当時、テレビで見ていた仮面ライダーは何者かに家族が連れて行かれる設定が多いので、その影響もあったかもしれません。

その夢を見て感じたのは、親の存在の大きさです。夢を見たことで、いつも守ってくれていた人が突然いなくなってしまう感覚がわかったんですね。同時に、自分を守っていた父親も全能ではないということに気づきました。無意識のレベルでは父殺しの夢だったのかもしれません。

その夢から着想を得た作品をいつか作りたいと思って作られたのが《帝国は今日も歌う》(二〇一七年)というビデオ・インスタレーション作品です。以前天皇についての作品を制作中、この夢と天皇を重ね合わせたら作品になると思いつきました。自分を守っているもの、無意識に受け入れているものは、強力だけど全能ではない。無意識に潜む権力によって、国家の場合は統治の仕組みができる。

王や神や天皇は、人々の意識だけでなく、無意識に働きかけてコミュニティを作っています。キリストがわかりやすい例ですが、コミュニティは犠牲を中心にして生き残っていく。そのような構造を夢の中から拾って、作品にしていきました。撮影場所として、八月一五日の靖国神社周辺で毎年行われる反天連（反天皇制運動連絡会）のデモを選びました。毎年天皇制及び天皇の戦争責任をめぐって、右翼と左翼が激しくストリートでぶつかり合い、さらに二〇〇〇人の機動隊がその場を制御します。日常的に抑圧されている排外的な言動が醜さを伴って発散されるその場を使わせてもらい、〈父と子〉〈天皇と民衆〉〈神とキリスト〉をめぐるストーリーがひとつの不条理な夢のように語られる作品の撮影を行いました。後ろ手に手錠を掛けられた男が、民衆の罵倒を浴びながら刑場に引っ張られていくシーンがメインなのですが、出演している機動隊の人々も罵倒を浴びせている人々もエキストラではなく〈本物〉の人々です。

イエス・キリストと天皇

両親がクリスチャンであることが自分に与えた影響は大きいですね。父は大学の先生で、ある意味リベラルな人でした。父の両親がクリスチャンだったわけではなく、自分自身のチョイスとしてキリスト教になった人なので、天皇制を嫌っていました。自分の従うべきはイエス・キリストであると。

アーティストになって、国家というものを考えるようになって、その延長で戦争をえがくようになりましたが、そうするとやはり天皇という存在が無視できなくなりました。

東京のど真ん中に皇居があって、元号という強力な時間管理システムがあって、天皇の存在は日々可視化されているはずなのに、日常の下のレイヤーに存在していて、多くの人が意識すらしていない。それが新天皇の即位や改元があると、いきなり大きなものとして見えてきます。すごいシステムです。

そんな天皇についての作品を作っていたときのことです。

戦後に天皇が人間宣言をして、GHQが天皇の日常風景をたくさん撮影して公開します。そのときの写真の――つまり神格化されていた王ではなく、普通の人としての天皇に脳みそなどを埋め込んで、人間としての人体を意識させるような作品を作っていたときに、父が訪ねてきました。父が天皇を嫌っているのは知っていましたから、面白がってくれると思って見せたところ、彼の顔が曇りました。そして黙って帰ってしまった。

数日後に電話があって、あれはどういうことかと訊かれました。「作品を見てショックを受けた。ショックを受けた自分にショックを受けている」と。父は動揺する自分自身に驚いていました。

終戦は父が小学一年生の時です。戦中の教育を受けていたので、天皇が無意識の中にまだ残っているわけです。たぶん王というのはそういうもので、今はクリスチャンでもリベラルでもある父ですが、にもかかわらず大きな中心を求めたり権力を受け入れる無意識が残っていたのですね。

一五歳で親元を離れるまで、私も毎週日曜日は教会に通っていました。高校生の一時期は、信仰を持っていました。なるほど神とはこういうことかとわかった気がした時期もあります。その半年間くらいはすごく気持ちが良かったんです。自分より大きなものと繋がっているという恍惚とした感覚でした。でも、それはあまり長続きしなかった。

国際基督教大学に入ってはじめて、教会の中で教えられることとは違って、批判的に学問としてキリスト教を考えている人がいると意識しました。客観的に体系的に研究されている学問として学んではじめて、自分のなかで悶々としていたことが解消されていく感覚がありました。

自分にとってキリスト教は両親から受け継いだもので、次第に解消されて客体化されていったものです。子どもの頃から神様が圧倒的な価値観でしたから、神は存在するのかと疑問を持ちながら生きるようになったことは、自分の人格形成に大きな影響を与えたと思います。

キリスト教が自分のなかで客体化されたのと同じように、たとえば国家とか資本主義とか、我々を規定している大きな枠組みから逃れることは可能か。ミクロのレベルでは逃れられても、マクロのレベルでは強力すぎて逃れようのないもの。それに対して自分の考えを表現しないと、満足できなくなりました。そういったものに対する違和感や怒りが表現されていないと、作品にならないという感覚をもっています。それはおそらくキリスト教が身近にある環境で育てられたことが大きいと思います。

逃れようのないものと聞いて浮かんだのは、一七歳で敗戦を迎えた母方の祖父だった。負けた途端、昨日まで教えていたことは間違いだったと教科書を墨で塗らされた体験を語るとき、穏やかな祖父が声を震わせ、表情をこわばらせた。

そのときの祖父と同じ一七歳になった時、わたしはマーシャル諸島のスタディーツアーに参加することを祖父に伝えた。予想とは裏腹に、なぜ行くのかと険しい顔で問うてくる祖父がいた。いまだに逃れることができない〈戦争〉を脇に置いて、わたしがマーシャルと出会うことにも祖父は怒りや違和感を抱いているのかもしれないと、戸惑いとともに感じた。

ことばよりも理解できたもの

昔から画を描くのが好きでした。中学生の頃は授業中に漫画を一話分描いて、休み時間になると友人に配っていました。高校生活はカナダで過ごし、素晴らしい美術の先生と出会うことができました。

でもアーティストになるという選択肢はなくて、最初は美術史を勉強したいと思っていました。おそらく父が学校の先生なので憧れもあったんでしょう。ところが大学に入って、自分は勉強に向いていないと思いました。座って、読みたくない本を読むことが苦しい。自分の考えていることをことばにすることも苦手だと感じる。芸術とは、社会とは何かということが、ことばよりも画を描いたり作品を作ることで理解できました。そう気づいた大学三年生の時、アーティストになろうと思いました。

最初は画を描いていましたが、当時はデジタル8というビデオカメラが出た時代で、ロンドンの美大に行ったらビデオを作るのが流行っていました。撮ったものをコンピューターに取り込んで、個人レベルで映像編集ができる技術ができたタイミングで、芸術家はみんなビデオ作品を作っていた時期があったんです。その頃まだ日本ではビデオ・アートはあまり盛んに作られてはいませんでしたが、イギリスで若いアーティストが面白いものをたくさん作っていました。ビデオ・アートの歴史が始まったのは一九六〇年代後半ですが、一九九〇年代後半には、現代美術でもっとも影響力のあるメディアといわれるようになっていました。時代に選ばされたという感じです。

小泉さんの創作は、いつもスケッチブックに画を描くことから始まるという。手を動かしながら深層意識に漂うイメージを摑み取り、思考を画で可視化していく。そうして描かれたイメージ・ドローイングからは、ことばでは伝えきれない複雑な感情や計り知れないエネルギーを感じることができる。

やがてロンドンでビデオカメラと出会った小泉さんはそれから二〇年、知覚と感情を揺さぶりながら個人の内面を見つめ、人間とはどのような生き物であるか、鑑賞者に問いかける作品を作り続けている。最近は演劇的な手法を取り入れながら、ことばになる以前の無意識や、ことばを超えたコミュニケーションなどをＡＲ・ＶＲを使って表現している。

一〇年経っても傷ついている

いま公開している《Battlelands》と《Sacrifice》という作品があります。三年かけて昨年完成した作品です。イラクやアフガニスタンの戦地に行ったアメリカの兵士たちが、あれからもう十数年も経っているのにＰＴＳＤ（Post Traumatic Stress Disorder：心的外傷後ストレス障害）で苦しんだり家族を殺したりして問題になっています。

今までは日本の戦争を描いていたのですが、マイアミに招かれたことがきっかけで、アメリカの現在進行形のコンテキストのなかで退役軍人たちと作品を作りました。

まず《Battlelands》では、退役軍人たちにGoProというカメラを頭につけてもらって、目隠しをして自宅の中を案内してもらいます。次に同じ場所で、イラクやアフガニスタンで体験したことを描写してもらいます。あのあたりに火が見えて、ここで爆発が起こって、そこに泣いている人がいて、といったことがリビングルームや寝室、子ども部屋で語られていきます。

編集でふたつの映像を重ね合わせると、キッチンに死体があったり、廊下が燃えていたり、彼らの日常の風景にかつて見た戦場がどんどん結びついていく。自分の家にいるんだけどそこが戦場になってしまう。鑑賞者は彼らの視点を共有しながら、その語りを聞くことになります。

兵士のひとりひとりにスポットを当てていくと、彼らは国家という大きなものに巻き込まれた犠牲者です。自分の選択として戦地に行ってはいますが、まだ若者で、多くの場合、社会的・経済的に限定された選択です。彼らは貧困から抜け出すための手段のひとつとして兵士になることがあります。移民系だと、周囲や自分自身に対してアメリカ人であることを証明する必要のために志願することもある。

過去の戦争と今の戦争の大きな違いはそこにあります。徴兵制として全員がいかなくてはいけないのか、あるいは志願していくのか。でも志願兵も、そういった社会的・経済的な制約のなかで選択しています。

そういった若者たちが一〇年経ってもいまだに傷ついている。作品を観ることで、彼らにシンパシーを感じるようになります。兵士たちも犠牲者なんです。

でも同時に、彼らは加害者でもあります。米軍に侵攻されたほうから見れば、彼らは被害者ではない。この作品だけでは描ききれない、もう一方の視点を作らないといけないと思ったので、その後イラクに行きました。

退役軍人たちはよく現地の子どもの話をするんです。赤ちゃんや子どもを殺してしまったと。そこで、イラクでの戦争を子どもとして経験した人とVR作品《Sacrifice》を作りました。九歳の時に戦争がはじまって、一三歳の時に目の前で親戚みんなが殺され、奇跡的に自分だけが生き残った二三歳のアハマッドという青年の視点で描いた作品です。

鑑賞者は頭に3Dゴーグルを付けているので、すべてがアハマッドの主観で見えます。VRでアハマッドの視点を体験することで、脳がそれを自分自身の経験と錯覚します。私たちは彼の身体に重なり、彼と、彼が抱いている死を身近に感じます。

この取材のあとに、《Battlelands》と《Sacrifice》を観る／体験する機会があった。《Sacrifice》で3Dゴーグルを装着すると、目の前でバラバラになった家族の名を呼びながら、アハマッドが思い出を語りはじめる。わたしもアハマッドの動きに合わせて腕を広げ、

見ず知らずの死者たちの姿を想像しながら両腕の中に抱き寄せる。その動作を繰り返すうちに、やがてアハマッドとわたしの呼吸が重なってくる。抱き寄せた暗闇の中にだけ訪れる、静寂と安らぎ。そこで確かに感じる体温は、誰のもの?

3Dゴーグルを外した後も、わたしの心はしばらくイラクにあった。帰宅後テレビをつけると、同世代の国際政治学者がコストやリスクという経済用語を多用しながら、徴兵制復活論を唱えていた。

「五〇年一〇〇年謝っても謝りきれない」

今は、元日本軍兵士・近藤一さんの作品を制作しています。

一九二〇年生まれの近藤さんは、現在九九歳。日中戦争で山西省に出征し、三カ月初年兵教育を受けてから、四年間、中国戦線でありとあらゆることを経験されました。中国のあとは沖縄に送られて、最後の最後まで戦います。最終的には数人で突撃して、アメリカ軍の捕虜になりました。

近藤さんも、ある意味では日本軍の犠牲者のひとりです。戦後、近藤さんは自分たちが中国でやったことを話しはじめます。それは加害の話でした。

レイプの話も、民間人殺害の話も、思い出せることをすべて。

Women's Active Museum on war and peace（アクティブ・ミュージアム女たちの戦争と平和資料館）の池田恵理子さんが聞き取りをして、証言が残っています。沖縄の話もすさまじいのですが、中国での話を多く語られています。

私は日本軍の加害の歴史を扱った作品はこれまでも作っていたのですが、証言に基づいた作品は作っていませんでした。戦争経験者が少なくなっているのでもう無理かと諦めていたのですが、近藤さんと出会って、やってみようと思いました。

近藤さんは七〇歳から語り部を始めましたが、どこからの依頼であれ断ることはないそうです。中国も何度も訪れ、被害者の方にも会っています。しかしここ一年、高齢のためうまく喋れなくなってしまって、忘れるようにもなってきた。現在は病院にいて、先日娘さんに連絡をとって会いに行きました。

すると看護師さんたちから「今日は絶対に戦争の話をしないでください」と言われました。わけを訊いたら、近藤さんはここ五日間眠れていないと。夜になると、中国人が自分の首を刎ねに来る夢を見て「助けてくれ」とわめいてしまって眠れていないから、刺激しないでほしいと言われました。

そういう状態だったのですが、娘さんに「おそらく戦争の話だったらすると思います。作品にするなら取材の準備をしますが、どうしますか」と訊かれて、四五分間だけインタビューさせてもらうことになりました。

近藤さんは憶えているはずの話をするのですが、途中で自分のことなのかわからなくなってしまいます。たとえば人を殺したことなど、かつて語ったことや活字になったことを尋ねても、「それは自分じゃない」「憶えていない」と。

そこで「戦争の夢を見ますか」と訊いたところ、「いまでも見ます」と答えました。中国人が首を刎ねられる夢を何度も見ます、と。そういう夢をいまでも見る。

最後に、我々若い世代に知ってほしいことはありますかと訊いたら、「五〇年一〇〇年謝っても謝りきれない」と泣き始めました。

その取材をもとにした《証言の天使たち》という作品では、一七歳から二六歳までの一一名に、近藤さんが忘れてしまった話を一言一句憶えてもらう姿も撮りました。近藤さんのことばを若い人の身体に刷り込んでいき、彼らが集団で東京の街中に近藤さんのことばを放っていきます。

遡ること一〇年前。わたしは小泉さんからビデオ・アートの〈読み方〉と〈つくり方〉を学ぶ大学の公開講座に参加した。少人数のグループでカメラを回し、カメラの前で小泉さんから与えられた文章を読み上げる。撮影時の構図、発話者の視線と感情、映像にのせる音楽などに注目しながら、ワンテイクごとに、話者のパフォーマンスに潜む演出を検証する実験を繰り返した。

あるテイクでは、話者にこんな条件が課せられた。

「空気椅子の姿勢で、苦しくても表情を変えずにカメラ目線で文章を読みましょう」

おもに唇の動きで行われる発話行為が、空気椅子の姿勢という条件が加わることで、全身を使うパフォーマンスに拡張される。読み手の小刻みな身体の震えと、だんだん険しくなっていく表情や声色から、異様な緊張感や切実さが画面越しに伝わってくる。しかし、カメラはパフォーマーの表情のみを映しているため、読み手の震えが何に由来するのか、鑑賞者に明かされることはない。画面の内側の世界は、パフォーマーの身体条件によって規制され、鑑賞者の想像力によって構築される。

身体と映像メディアの関係について考えるとき、わたしはある映像を思い起こす。二〇〇三年にイラクのバグダット陥落を象徴するシーンとして伝えられた、フセイン元大統領の銅像が引き倒される瞬間の映像だ。当初はイラク市民が熱狂的に自らの手で像を倒したと報道された。しかし、実際は米軍の装甲車で引きずり下ろしていたことが、後日現場を俯瞰して撮影した映像によって伝えられた。

印象操作の手段として映像メディアを利用するとき、映像の作り手は意味や解釈を都合よく固定化し、境界線を引くことで分断を生み出す。小泉さんの作品は、常にそのような固定化や分断に抗い、複雑さや矛盾を表現する。

《証言の天使たち》を作って、希望が見えたような瞬間もありました。近藤さんの証言を憶えてもらうときに、ある女性が、私は性暴力の話を憶えたいと言いました。若い女性が、近藤さんがやった性暴力の話を憶えて声に出す。そのパフォーマンスの中で、彼女は犠牲者の側に身を置いて受け止めるのか、あるいは近藤さんと同化して加害者の視点に立つべきなのか、とても揺れ動くんです。

そこで彼女が言ったことが印象的でした。

被害者の立場でやると、どこにも進めなくなってしまった。かなしくて辛くて、どこにも出口がない。ところが近藤さんの立場で想像すると「許されたい」「許してもらいたい」という気持ちが出てきた。

彼女のパフォーマンスはすごいものになりました。

どうしてあんなパフォーマンスになったんですかと訊いたら、女性の被害者としての立場でやってもできなかったことが、近藤さんの加害者としての立場になってみたら、こんなふうになったんですと言っていました。

同時代性に結びつける

作品はアラブ首長国連邦のシャルジャという街で公開しました。トークショーで加害の歴史を扱うことの意味について話したのですが、それを聞いていた被害者の立場の人は、すごく複雑な気持ちになったと思うんです。

加害者の語りは、蓋をされ忘却されてしまう前に、残されないといけない。そこには加害の歴史を語り継ぐことの大切さがあります。一方で、戦うこと・殺すことを強要されて、戦後は長年語り部をしてきた近藤さんは、加害者であると同時に被害者でもあります。より普遍主義的・歴史的な視点から見たら、近藤さんだって被害者なのです。シンパシーとともに近藤さんを語り継がないといけない。

しかしもちろん、殺され、奪われた実際の被害者が見ると、やはり腹立たしいと思うんです。直接被害を受けた側は、こちらにも圧倒的な心の痛みがあって、こちらを忘れるなと言いたくなる。シャルジャで行なったのは、いろいろな立場の様々なコンフリクトを扱った展覧会でした。実際に被害にあった人々もたくさんいます。もしかしたら、加害者さえも被害者とみなすという普遍主義こそが、特権的な立場なのではないか。複雑で矛盾していいます。でも、矛盾を矛盾として見せていけるのが、芸術の強みです。

近藤さんとの作品は過去の戦争体験を扱っていますが、とても現代的でもあります。日本軍は三カ月の軍事教練をしますが、最後に刺突訓練をしました。中国人を木に縛りつけて、ひとりずつ銃剣で刺していく。人殺しに慣れさせる儀式です。

近藤さんのそんな話を知った後に、イスラム国も首切りを教え込むという話を聞きました。昔の日本の話だとリアリティを感じにくいかもしれない。でも、いまイスラム国で起こっていることとなると、リアリティが感じられます。日本人同士だからという同胞意識ではなく、同時代性と結び付けていくほうが大事なのだと思います。

歴史や戦争といった、リアリティを感じにくくなっているものを、いまの現実にどう落とし込んでいくか。自分はきっと、そんなことをやろうとしているのです。

「もしもし、遅くなってごめんね。今から行っても大丈夫かな?」

インタビューを終えると小泉さんは電話をかけた。「喉も渇いたでしょうから、よかったらお茶飲みにどうぞ」。車で数分のところにあるご自宅で、パートナーのユカさんと息子のココロウくんがデザートを作って待っていてくれた。手作りのなめらかな白玉と程よい甘さの黒蜜がバニラアイスクリームと溶け合って、火照った身体を内側から冷ましてゆく。

あっという間にデザートを食べ終えたココロウくんは、本棚から『おしりたんてい』の絵本シリーズを抱えて持ってくると、次から次へとお気に入りのページをめくって表現豊かに読みどころを解説してくれた。「ドラえもんは怖くてまだ見られないんだよね」とお父さんから意外な一面を耳にする。

窓から差し込む陽が沈み始め、バイバイの時間だよと告げられると、ココロウくんは棚に

手を伸ばし、小箱に入った折り紙のおもちゃをお土産にどうぞと差し出してくれた。四つの穴に両手の親指と人差し指を差し込んで、縦横に動かすパクパク。祖父母の家でも折って遊んだ。黄緑色のパクパクを選んでお礼を伝えると、お土産用にいつも多めに折っているのだと教えてくれた。

帰り道、小泉さんに表現のモチベーションは何かと訊かれた。

やっぱり、怒りですか？

SUWA Atsushi

2.

不在を、どこまで〈見る〉ことができるか

諏訪敦

二〇一九年七月二八日　アトリエ

中国(旧満洲)

N

二〇一六年四月。ある画家のドキュメンタリー番組を見た。その画家は、敗戦後に哈爾浜の日本人難民収容所で、伝染病と飢えで亡くなった祖母を描こうとしていた。七一年前、祖母はどのように死に、埋葬されたのか――。遺された父の手記を頼りに、画家は父と祖母が歩いた足跡を辿る旅に出た。番組はその旅と帰国後の創作過程を密着取材したもので、画を描き上げるまで丹念な対話と観察をつづけながら、徹底して実践的な調査を試みる姿勢を息を呑んで視聴した。

哈爾浜郊外の収容所があった場所で、画家が埋葬時の様子を訊ねる場面でまず驚いた。同行者のひとりに遺体役となってもらい、他の同行者が遺体役の両脇両脚を抱え、どのように葬られのかを再現してもらうようお願いする。遺体役の身体は繰り返し宙に浮き、地に堕ちる。画家はその様子を眺めながら、遺体を運ぶときの手の位置、重量、角度などを入念に観察する。その姿は〈画家〉を超えているように見えた。

帰国後、画家はアトリエでキャンバスの上に横たわる裸婦を描き始めた。モデルの裸婦／祖母と対話するように筆を動かしながら、艶やかな肌に妊娠線を描く。やがて飢えて発疹チフスに侵された姿へと、画筆で裸婦に少しずつ祖母と同じ経験をさせていく。病変について不確かなことは、医学的な助言を伝染病の専門医に請い、髪の描き方について悩むと、現地で取材に同行してもらった人に電話で詳細を訊ねた。三一歳で亡くなった祖母をキャンバスの上に蘇らせる。その後に肉体を削ぎ落とし、殺していく。

番組を見た後、わたしは印象に残った画家のことばを名前とともに手帳に書き留めていた。

「簡単に代弁したくない　やりとりをした実感はある」――諏訪敦

翌日、わたしはマーシャル諸島で餓死した佐藤冨五郎さんのご子息・勉さんに初めてお会いし、数日後、父・冨五郎さんの慰霊の旅に撮影記録係として同行した。どのような姿勢で旅に臨んだらいいのだろう――。出発を目前に迷いや不安が込み上げていた。そんな時、たまたま新聞で、ＥＴＶ特集「忘れられた人々の肖像――画家・諏訪敦〝満州難民〟を描く」の放送を知った。ちょうど譲り受けたテレビが自宅にやってきたタイミングで、番組を視聴できた。旅の間も、帰国して映画を編集している時も、わたしは手帳に栞を挟むように綴った諏訪さんのことばを読み返していた。

それから三年後。灼熱の太陽が照りつく昼下がり、番組で見た諏訪さんのアトリエを訪ねた。今回も三年前と同じく、わたしは数日後にマーシャル諸島へ出発する準備をしていた。アトリエの壁一面に本や資料が綺麗に収納されていて、床にはいつでも制作に取りかかれるようにと、布団が折り畳まれている。正面のイーゼルには《遠方よりの客 Guest from Far Away》（二〇一六～一七）が架かっていた。

前提——画はフィクションである

戦争画ということばを押し広げて考えると、きわめて多義的です。第二次世界大戦中に、戦意高揚の目的で軍部からの嘱託を受けて描かれた〈作戦記録画〉を指す場合もあれば、逆に戦争犯罪の告発や非人間性の訴えのため、戦後に描かれた作品群もそう呼ばれることがあります。遡ると永らく西洋画のヒエラルキーの上位には歴史画が君臨し、戦争画もその領域の中にありました。

私が取り組んだ、一連の旧満洲に取材した制作プロジェクトは、非当事者がどのように戦争を描くかということを、意識的に扱ったことに特徴があるのかもしれません。よく知られた丸木位里・丸木俊夫妻の《原爆の図》について参照するなら、彼らが救護活動に参加するため広島市内に入ったのは、原爆投下から数日経過した後のことでした。《沖縄戦の図》も地上戦を体験した方々の証言に基づき、その人々がモデルになって描かれたものです。しかし、私たちがときに彼らの絵画を、まさにその場に居合わせた当事者が成した大作のように錯覚して見てしまうのは、絵画の内容が無根拠な空想にとどまらず、ひとつの真実に届いているからだと思います。

また一方で、被爆者たちが証言として描いた記録画があります。描画技術こそはナイーブなものですが、それだけに率直で非常に生々しい。そしてそれがそのまま事実を裏付けるような一次資料としての側面があります。しかし、戦争体験者はいつか誰もいなくなる。記憶を引き継ぐ担い手である非当事者は、厳粛な題材をどうやって取り扱うべきなのか、また実際に経験していない事象に対して、〈見る〉という行為の意味はどこまで拡張可能であるのか。あるいは経験者が不在の状況下で、どこまで真実ににじり寄れるのか、こういった諸問題について私たちは考え続ける運命にあります。

圧倒的な写実の技術を持ち、〈見る〉専門家である諏訪さんは、これまで祖母以外にも〈見る〉ことが叶わない人物を描いてきた。

そのひとりに、**二〇一二年八月二〇日、中東シリアの都市アレッポで取材中に武装グループの銃撃を受け、命を落としたジャーナリスト山本美香さんがいる。**

山本美香さんの公私にわたるパートナーであったジャーナリスト佐藤和孝さんとの出会いが、**諏訪さんにとって〈見る〉ことを再考するきっかけとなった。**

諏訪さんは山本美香さんを描く一六年前に、佐藤和孝さんを描いている。

ジャーナリスト・佐藤和孝さんとの出会い

現在は美術系大学で具象的な絵を描くということについて、コンプレックスに苛まれる学生などは、幸い目にしませんが、私の学生時代は新表現主義という具象絵画のリバイバルに終わりが見えた頃で、そこが油絵学科であるのに、絵画を描くこと自体が時機を逸しているというか、不勉強であることを自ら晒しているような気分になったものでした。しかし本来的には誰だって、絵を描きたくて油絵学科に入ったはずでしょう。なのに、具象画を描くと見下される雰囲気に納得いかなくて、居直るかのように一五世紀に完成した古（いにしえ）の技法に先祖返りしたスタイルで描いていたわけです。

そんな鬱屈したものを抱えていた頃に、日本におけるビデオジャーナリストのパイオニアのひとり、佐藤和孝さんと知り合いました。一九九〇年代中頃の撮影機器の小型化と高画質化が可能にした、この新しい取材スタイルは、戦争報道や災害報道におけるスピード感とリアリティに革新をもたらしました。彼が戦争を取材することを生業にしていることは知っていましたが、杉並区の御自宅で会うと、まったく穏やかな様子で、いつも飼い猫と戯れているような人なので、どうしても普段の彼と、ニュースで目にする、インマルサットを通して戦場から情報を送ってくる……狡猾さも併せ持った正に獣のような印象とは、まったく繋がりませんでした。しかしこのギャップにやられたのだと思います。

特に、彼の仕事の中に「サラエボの冬――戦火の群像を記録する」（一九九四年）というNHKのBSで放映されたドキュメンタリーがありますが、これを見たことは私の中で大きな経験でした。戦争の概要を、俯瞰的に神の視座から伝えるのではなく、撃たれる側の人たち……民族間の争いで引き裂かれる人々、正気であり続ける意思を示すかのように、戦時下の街でカフェの開店を目論む男など、爆撃の下で生きなければならない人間たちに寄り添った映像は、ナタで切り出したような手応えがあって、生活の真実が描かれていたのです。少なくとも私はそれまでこんな戦争の映像は見たことがありませんでした。

また、佐藤さんが、ビデオカメラを手に提げて、狙撃兵が潜む〈スナイパーストリート〉と呼ばれる一角を横切るシーンには圧倒されました。撮影機材を肩にかまえると歩兵用のロケットランチャーと誤認され狙撃されるので、鞄を持つように手にぶら下げて走るから、映像も揺れて地を這うようでしたが、ひりひりした時間が確実に記録されていました。若かった私はその熱量に当てられたのかもしれません。

美大では課題によっては毎日、アトリエに裸のモデルが用意されていて、学生たちは一定のメソッドに従って描きますが、その中には本来重要な学びが含まれている。でも義務的に作業としてこなすことに終始すると、画家としての感性は腐ってくるのです。そんな惰性の日々の中で、私は佐藤さんに会いました。何かテクニカルな部分を学ぶということではなくて、彼から影響を受けたのは、綿密な計画を立てて難易度の高い取材を完遂する熱量とプロセスかもしれません。取材行為を画家とモデルの関係性に置き換えてみたらどうなるだろうかと考え始めたのもその頃です。

ジャーナリストからの影響というと、政治的な姿勢といったものかと思われやすいですが、そうではなく、胆力を頼りに生きている姿が美しいと感じただけなのかもしれません。思えば人には決定的な出会いというものがあって、それは自分が意図的に求めた帰結ではなく、来訪神のようにずかずかと向こうからやってきてしまうものなのでしょう。それは有無をいわせずに在り方の刷新を迫りますが、ひとたび〈感動〉してしまった人は絶対に抗うことはできません。出会う以前の自分には戻ることはできなくなるのです。〈感動〉は危険な劇薬で、強引に人生を転換させてしまう。佐藤さんとの出会いはそういった種類のものでした。

二十歳前後で「画家としての態度を変えてみよう」と決意する出会いをした諏訪さんは、その後大学院に進学して助手となる選択肢もあった。しかし「社会人として他人に金で使われた経験も無いのに、人間を描いていこうとは、おこがましいのではないか」と考え、就職をした。人並みに就職活動をしてみたいという思いもあったという。

大手ゼネコンに入社後、一〇年間、設計部やCGチームに在職しながら画を描いた。私生

活の質には無頓着で、下宿先は共同トイレ、風呂なし、鉄の外階段は古びて崩れそうだった。あんな過酷な環境で画を描いていると驚く人もいたが「本人は結構幸せだったんです。嫌な思い出はそんなに残らない」と諏訪さんは目を細めながら当時を振り返った。

会社員生活のうち二年間を諏訪さんはスペインで過ごした。異国の地でモデルとしての日本人の肉体に関心を深めていく。

舞踏家・大野一雄を描く

一九九四年から二年間、文化庁の派遣在外研修員としてマドリードに住むことになり、海外在住者にはありがちなことですが、「日本人とは何か」について考え込むようになりました。帰国後は特にその身体性へと関心が向いて、当然の帰結として舞踏家たちに関心を寄せるようになったのです。

現在はシンプルに〈舞踏〉、世界的には〈BUTOH〉あるいは〈Butô〉などとして認知されている、日本発祥のアヴァンギャルドな身体表現〈暗黒舞踏〉の歴史は、一九五九年に上演された土方巽の《禁色》から始まりました。クラシックバレエに見られるように、超越性、天上への憧憬、様式美を備えた肉体を重視する西洋舞踊に対して、土方は逆を張るように下界を志向し、日本人の身体の脆弱性、蟹股などの醜さ、そして個別性の中に新局面を見出し、一代にして借り物ではない自前の表現を紡ぎあげ、世界に衝撃を与えたのです。日本人の身体性に価値の転換を与え、ひとつの表現領域にまで昇華したという点で、とても重要な流れです。

大野一雄さんは土方巽に影響を与え、舞踏全体を支えた、いわば舞踏第一世代のひとりです。大野さんを取材し始めた一九九九年当時、私はまだ三二歳。大野さんは九三歳。私は無名の存在で、コラボレーションの相手としては不釣り合いです。だけど大野さんたちは私の作品プレゼンから判断して、取材に応じてくださいました。世間の評価に左右されない、人間的な大きさがあったのです。

私は、大野さんの資料を可能な限り集め、読み込み、自分なりにできる限りの準備をして制作に臨みました。とはいえ取材技術があったわけではないので、とにかく考えつく限り、量をこなすことを心がけました。ただし私にとっての取材は、徒労に終わることも織り込み済みの行為なのです。情報をいくら取り込んでもほとんど画面には反映されません。成果物はたった一枚の額縁絵なのですから。

しかし考えてみると、写実画においては〈見たままに描く〉ことが、誰もが理解できる基本的なテーゼです。そうなると〈見る〉という経験の質が問われてきます。たとえば目の前の誰かを描くとして、私は訓練を積んでいるから再現的に描くことは訳もありません。

しかしそれは相手の姿を薄皮一枚はがして「これがあなたです」と言い切るようなもので、思えばとても乱暴な行為です。

このような暴力性を回避し、真実を担保するためになにができるのかと考えたときに、やはり絵画以外のジャンルの人たちが当たり前にやっている、取材や調査の重要性を改めて見直さざるをえませんでした。場合によっては自分の中に不要な予見を作ってしまうことにもなりますが、それでも不可欠なのです。このような考え方は佐藤和孝さんの影響だと思います。

自分の行為をことばで考える

取材や調査を行なってからそれを削り落としていく行為は、画家としての自己に批評を繰り返すようなものです。画家の常とう句として「ことばにできないから絵に描く」という言い方がありますが、確かにそれはそうなのだけど、同時にどこかで「そんないい加減な話があるか」とも思ってしまう。「実はきちんと考えたことがないだけだろう」と言いたくなるのです。言語隠蔽効果により感性の鈍化や経験記憶の劣化を招く危惧もありますが、もうこれ以上は何も説明を加えられない、一言も絞り出せない、というところまでことばを尽くした経験がなければ、その人に「ことばにできないこと」が内実としてあるのか、イメージできるものではないでしょう。

もちろん私だって画家である以上、作品はまず予断なく見られることを望みます。その上で感想を引き出し、多くの批評に磨かれ、感性だけではなく言語によっても共有されていくことが重要なのです。画家が「ことばにできないから絵に描く」などと予防線を張ってしまっては批評の拒絶という誹りを免れないと思います。

大野一雄さんは独特な語りを備えていた方でしたが、最初にお会いしたときには既に高齢で、認知症の兆候も表れていて、会話がなかなか噛み合いませんでした。理屈で分析することが難しいセンテンスや、唐突なタイミングで独特なことばが投げつけられることもありました。そして体験者の常として、戦争のことはほとんど語りませんでした。クリスチャンが九年間も陸軍士官として中国やニューギニアを転戦する中で感じた自己矛盾はいかばかりだったでしょう。ただ、おそらくは幾度も反芻されてきたエピソードは、私にも惜しみなく話してくださいました。復員船の中で力尽きた戦没者を何人も、布に包んで海に流した話は印象的でした。大きな海洋生物の写真集を抱えてこられて、船上での水葬体験を踊るような手振りと併せて、独特なリズムで語ってくださいました。浮遊する水母（くらげ）のフォルムを象（かたど）る大野一雄の記憶——舞踏で表現される水母のダンスは、戦争犠牲者の鎮魂と結びついているようでした。

一九〇六年に生まれ、二〇一〇年に一〇三歳で亡くなられた大野一雄さんを想うとき、わたしは大野さんと同じ年に生まれ、一九四五年に三九歳で餓死した佐藤冨五郎さんを想う。戦時下に日記を書き残した佐藤冨五郎さんは、死の数時間前まで自身の身体が衰弱していく様子と仲間の生死を克明に綴り続けた。

大野一雄さんは、ダンサーとしてもっとも活躍できる時期を戦争に奪われた。七〇歳をすぎて再デビューを果たした時、強靭な肉体は衰えていたものの、身体表現には霊感が備わり、一〇〇歳を超えても舞台上で生命の尊さを表現し続けた。

父親の死を一〇年かけて受け入れる

一九九九年に亡くなった父は、晩年に個人史を書く市民講座に参加して、「我が人生途上の記より敗戦前夜の出来事」と題した手記を残しました。死因となった胃癌が見つかった頃のことです。スキルスという進行がとても早い癌でしたから、もう手の施しようがありませんでした。思えばそれまではほとんど家族に戦争体験を語ってこなかった父が、なぜ急にそんなものを書く気になったのかは分かりません。今となっては興味深いのですが、父の死が現実に突きつけられたときにそれを問う気にはなれませんでした。むしろ亡くなるまでの父の生活のクオリティをどうやって維持するかのほうが、私にとっては重要だったのです。

企業人というのは肉親が生命の危機にあっても、頻繁に職場を空けることはできないものです。そういった悲哀も人並みに経験することになり、死に目に会うことは叶いませんでした。深夜になって北海道の実家に駆けつけると、確かにそこに死体としての父は寝そべっているのですが、なかなか私は父が死んだと納得することができませんでした。そこで彼の死に顔を素描することにしたのです。

彼は丸二日かけて、植物が枯れるような速度で着々と生気を失い、肉体は腐敗しながら物体へ還っていくことを私に教えてくれました。よく葬儀屋さんは遺体の顎を布で縛るのですが、筋肉が弛緩することで口が開くのをふせぐためです。父もかなりの力で顎を固定されていたはずなのですが、いつの間にか口は開き始めました。それは唇が干からびたにすぎないのですが、人はその程度の自然の変化にも抗うことはできません。その底の見えない真っ暗な空間は、私の心に拭い去れない傷をつけて、何らかのバイアスをかけたのだと思います。

その後私は一〇年以上かけて《Father》シリーズを描き続けました。父親の遺体を描いている光景はかなり異様だったと思いますが、私にとっては親子関係を補完する術(すべ)でもありました。彼が元気だった頃にはよそよそしい親子関係で、あまり会話もありませんでした。しかし絵を介在することで、関係を無制限に引き延ばせることに気がつきました。やっと肉親を自分のものにしていくような感覚にあったのでしょう。

父の手記には、ひとりの少年が見た戦争について書かれていましたが、夫婦仲がよかった母でさえ、聞いたことのない内容が含まれていました。祖父が一家を連れて、依蘭県馬大屯（いらんけんばだいとん）に入植して間もない一九四五年五月、大本営はソビエト軍が満洲へ侵攻した場合、関東軍は開拓村を放棄し、大連・新京・図們（ともん）の三角線まで防衛線を南下させることを決定します。しかしこの方針は、開拓民に伏せられたままでした。同年八月九日に〈ソ連対日参戦〉と呼ばれるソビエト軍の侵攻が始まり、取り残された人たちは、略奪と虐殺の脅威に晒されることになりました。その中に祖父の一家もいて、ソビエト軍や地元民の報復を回避しながら哈爾濱（ハルビン）まで辿り着き、移送された新香坊（しんこうぼう）難民収容所で、祖母と叔父は命を落としたのです。

実は母も兄も聞いたことがない父の戦争体験を、私は小学三年生の時に少しだけ聞いた覚えがあります。（その事実は密かな優越感としてあったと思います）父の弟が死んだ直接の原因は、難民収容所内での伝染病感染と栄養失調ですが、それを自分に置き換えて想像してみたときに、私の兄は食料を奪うだろうと、素朴に想像しました。だからこう聞いてみたわけです。「食料が乏しいときに、弟から食べ物を奪って食べたことがある？」と。そしたら「そんなことがあったかもしれないなあ」と答えたのでした。暴力の匂いがまったくしなかった父親なので、衝撃でした。私の関心は、過去も現在も〈戦争〉ではなく、実は〈父・豊が見たもの〉にあり、戦争や歴史に対する思いはあくまでも副次的なものなのです。

真実はひとつではない

手記を分析していくと、父は満洲で起こったことや地図を戯画として描き、アルバムの中に資料と併せてスクラップするなど、実に几帳面であったのですが、八歳のときの記憶を思い出して書いているためでしょうか、いくつか理解に苦しむ点が含まれることがわかってきました。

たとえば、父の一家が満蒙開拓団に参加したのは、敗色濃厚だった終戦の年です。考えられないほど間抜けな決断ですが、それを決定した祖父・周吉は和菓子職人で、親戚曰く風来坊気質の人だったようです。――もちろん当時、関東軍の退却は市民に知らされていなかったわけですが――どうしてそんな時期に渡満を決めたのでしょう。身内に報道関係者もいたので情報弱者ではなかったはずですが、これはいまだに解けない謎です。

農村部の次男坊や三男坊といった余剰労働力を、入植者として転用する国策は、戦争の末期には都市労働者にまで拡張されていて、統制経済政策の影響で失職した者たちは行かざるを得なかったという状況は想像できます。でも、祖父の場合はどうやら違うんじゃないかと私は疑っています。菓子職人にとって砂糖が手に入らない状況は致命的であったことは間違いないのですが、祖父の決断は理屈で割り切れない部分があります。たとえば開拓団員は村単位で行動するのが基本ですが、父の一家が所属していた班の足取りを追うと、実は哈爾濱までに辿り着けていないんです。連帯が何より重要だった当時の人の感性では理解し難い行動ですが、これでは生き残れないと判断した祖父が、さっさと自己判断で抜け出し、他の団に合流したという可能性も排除できないのです。

入植した地方の村から哈爾濱まで逃げ延びることができた難民たちは、当初は小学校などの公共建築物に集められました。やがて近郊にあった旧日本軍の練兵所が新香坊難民収容所に転用され、膨らむ一方だった難民たちはそこに移送されましたが、暖房設備も不完全な空間で、体力を消耗した者からバタバタと死んでいったようです。ユダヤ人強制収容所でも流行し、〈戦争熱〉とも称される発疹チフス、そして栄養失調が主な原因です。そこで祖母の信子は三一歳で、叔父の邦夫は五歳で亡くなりました。

父の家族が体験した満洲での戦争体験を〈父・豊が見たもの〉として表象化しようとするにあたり、祖母の姿をその〈依代(よりしろ)〉として取り扱うことに決めました。父の思いのほとんどは、やはり彼の母に向けられていたからです。二〇一二年に行った、旧満洲への最初の取材旅行の前後に描いたのが、祖母とまだ幼児だった父を、因習的な母子像のフォームで描いた作品《棄民 Civilians》（二〇一一〜一三）で、縦二メートル以上もあります。これがこのプロジェクトの始まりの作品でした。権力者をモチーフとする肖像画は、その多くが大画面で崇高さを強調したものですが、一般市民が残したささやかな家族写真と、権力者の肖像画の持つ広告的な機能を倒錯的に合成することを考えたわけです。

この取材の過程においては、強い無力感に襲われることにもなりました。現地の人たちには慰霊の旅、つまり〈お骨探し〉として遇されることが多かったためです。いわばダークツーリズムは現地の人にとっては投資誘致の種であり、一方で戦争犠牲者の抗議を疎ましく感じる内外の勢力にとってそれは、無制限に再生されるノイズでしかなく、適正な取り扱いが不能状態にある、まさにゾンビのようなものに変容を遂げていることに気づいたからです。祖母の姿を、敢えてゾンビのように描いたのはそのためです。

加えて中国人の中には、日本人が戦争被害者として描かれることに抵抗を感じる人々もいるでしょう。私は取材の中で、黒竜江省の方正県にかつては友好の証として建立されていた、旧満洲開拓団の慰霊碑が政治団体の抗議や直接行動に見舞われ、撤去された跡を目撃しました。これには激しい痛みとやり切れなさを感じましたが、結果的に作品《棄民 Civilians》は、私にとって重要なものになりました。そして再度、違うアプローチの作品も描かなければならないと考え始めたのです。

それまで迷走を重ねた《棄民 Civilians》の制作過程に、手弁当で密着してくれていた、映像ディレクターの中沢一郎さんが、その再挑戦をETV特集の企画として通してくれました。それで優秀なスタッフの協力を得られるようになり、大きくプロジェクトが回転し始めました。これからお話しする内容は、ETV特集「忘れられた人々の肖像——画家・諏訪敦〝満州難民〟を描く」として二〇一六年に放映された内容の、エピソードにあたります。

絵画は近代以降、個人的な精神の表現手段となり、工房制度も廃れて、多くは独りでイーゼルと向き合うものになっていました。ただ、絵画制作をプロジェクトとして読み替え、第三者の才能を導入できたことは、私にとって転機でした。中沢ディレクターはリサーチの段階においても力を発揮し、多くの当事者と接触することが可能になりました。例えば農兵隊として伝令に出たときに地元民の掠奪に遭い、威嚇発砲した記憶を語る古老や、少女時代に現地の人に売られ、辛酸を舐め尽くしたというお婆さんなど、ひとりひとりを主人公にしても一本のドキュメンタリーが制作できそうなくらいで……強烈な経験というものは市井に埋もれていることを実感しました。

私の関心事は変わらず〈父・豊が見たもの〉でしたが、そこに知覚の波長を合わせることは不可能であるように思われました。しかし、新香坊難民収容所を経験し、当時の父のことをはっきりと記憶する人……自動車部品製造会社の会長の任にあった鈴木俊寛さんに辿り着いたことで、取材は大きく展開し始めました。

二〇一五年の年末に、鈴木さんに旧収容所跡地への同行を懇願し、再度、中国東北部を訪れ、父の旅をなぞるように佳木斯(ジャムス)市から陸路、家族が入植した村・依蘭県馬大村を目指し、その痕跡を探しはじめました。日本人が植えたというシベリアニレの木や、祖父が働いていたと記録が残る醤油工場の跡地は判明したものの、日本人が住んでいた家屋などの具体的な痕跡は現存していませんでした。哈爾濱に移動し、一時家族が身を寄せた難民収容所、哈爾濱桃山小学校（現・哈爾濱市兆麟小学校）を訪問し、さらに祖母と叔父が亡くなった現場、新香坊難民収容所の跡地を探しあて、戦後満洲からの生還者団体〈礎会〉により製作された、一九四五年当時と一九八四年との比較地図を手掛かりに現場を確認したのです。

鈴木俊寛さんの記憶はまさに父親の残した手記を裏付けるものでしたが、一方で他の古老からは、父が遺した文章の信憑性を疑う証言も出てきました。取材し、描きながら、真実というものは、同じ場所にいて似た経験をしていても、人によって全く違うということを痛感することになったのです。

記憶は動いていきます。当事者でも、話している間に嘘が本当に変わっていくということがあり得ます。当事者亡き後に何を伝え残していくかの判断も、立場によって変わります。経験者の残した発言だからと、無条件に一次資料として取り扱ってはいけないのかもしれません。まして当事者がいない中で記憶を引き継いでいくのは、とても難しいことです。当事者自身の語りさえも、たとえば語り部が人前で話すことも、時間とともに悪い意味で洗練されてきて、当時の生々しさは失われていくものではないでしょうか。個人にとっての〈真実〉と、誰に対しても適用が可能な事実を混同してはならないのでしょう。私の絵画制作の場合は、いろんな人の話を取り入れていくに従い個人の記憶を離れて、総体としての記憶の集積のようなものに変化していきました。

こうして取材で語られたことばも、編集の段階で語りの前後を入れ替えたり、取捨選択を行っているため、事実からは遠ざかっていかざるを得ない。

——逃げ水のように対象は遠ざかり、絵画は動き続ける。

画集『Blue』の扉でも、絵画は記憶と同じく絶えず変化し、自分自身を更新しつづけるものであるという、諏訪さんの画家としてのステイトメントが表明されている。

画集の構成にもそれは見て取れる。《棄民》プロジェクトの作品は一二点収録されているが、最初に描いたプロジェクトと同名の作品《棄民 Abandoned Civilians》(二〇一一〜一三)

の後に、方眼紙に描かれたスケッチ画から油彩までの《HARBIN 1945 WINTER》(二〇一五〜一六)を一〇ページにわたって収めた。それにより、絵画と諏訪さんの思考が動き続けた過程を追体験できるようになっている。

その後ろに《Father》の作品を綴じ、死の床の父・豊さんと、そっくりな顔で眠る祖母・信子さんを見開きで並べることで、画集の中でふたりの再会をかなえたようだ。そして最後に《HARBIN 1945 WINTER》と同じアングルで、艶やかな肉体をもって信子さんを描いた《Yorishiro》を配置した。不在と死を中心に展開する《棄民》プロジェクトは、これで完結している。しかし絵画はどうなったときに完成したと言えるのだろう。そしてそれを「見る」とはどういうことなのだろう。

〈見る〉ことはどこまで拡張できるのか

中国から帰国して約半月が経った二〇一六年一月三日に《HARBIN 1945 WINTER》を描き始めました。当初は直接キャンバスにドローイングを繰り返してイメージを得られるタイミングを待ちましたが、ひと月も経つと、女性が横たわっている姿が浮かびあがったので、祖母に近い年齢と体型をもつ現代女性をモデルにたてて、裸像を一旦完成させました。その上で健康的な肉体を次第にそぎ落とし、難民収容所で、慢性的な栄養失調と発疹チフスで亡くなった祖母の状況を、〈仮想的に殺す〉ことにも似たプロセスで再現することに決めました。

このいささか異様な制作手法は、当時の引き揚げ者には写真の携帯が禁じられており、さらに新香坊難民収容所の実態を記録した写真の存在自体を確認できなかったため、収容者がどのような変容をみせたのかは想像の域を出なかったためです。そこでまず健康な人体を完璧な比率で描き、それを解剖学的な知見を援用して痩せさせるというプロセスを必要としたのです。

また、発疹チフスの夥しい病変を描き込みましたが、それは国立国際医療研究センター国際感染症対策室の加藤康幸医師の助言を得て再現したものです。また、妊娠線は経産婦の証として描きましたが、想像し得る限り祖母の身体が経験したことを、（絵画の中に再現した依代として）仮想の肉体に追体験させることに他なりませんでした。

しかし、陸路で逃げてきた女性たちが、統制が緩かったといわれるソ連兵や、暴徒化した満人による暴行を避けるため、顔面に炭を塗り断髪までしていたという、鈴木俊寛さんからの証言には逡巡させられました。髪は私が作品にわずかに残していた情緒的な部分なので、それを削除することは重い決断で……これ以上、祖母の姿を貶めてよいのかという私的な葛藤もありましたが、結局は証言を尊重することに決めました。しかし、丸坊主にした姿で描くことは、祖母が性暴力の危険に晒されていた可能性を示してしまいます。だからせめて、私なりの弔いの気持ちや、本来は保ってあげたかった彼女たちの尊厳は、私の画集『Blue』の装画に採用した《Yorishiro》として別に表象化することにしました。

戦争をアートの題材にすることは、慎重に臨むべきことです。別の議論になりますが、避難民が同調圧力をもって若い女性たちを性接待に志願させることで、集団の安全を計ったという記憶は、長らく無かったこととして伏せられてきました。たとえばこのような問題を芸術作品として扱えるでしょうか。私の絵画だって、なにかを贖ったとは思いませんし、祖母のことは、私自身もいまだに消化し切れないこととしてあります。《HARBIN 1945 WINTER》は二〇二〇年、広島市現代美術館に所蔵されますが、展示するときには、これがどのような制作プロセスを経たのかも合わせて知ってもらいたいと願っています。この不完全な絵画は、戦争の体験者がいなくなった後の、記憶の継承の不可能性を示していると思うからです。

美術家としてときどき考えることがあります。肉眼で見た時、すべての人が同じものを見ているという了解＝誤解のもとに写実絵画は立っていますが、一切の予断を排除して現象のみを見つめる行為と、その人の背景を調べてから見るのでは、当然見え方が変わってきます。視覚芸術にとって〈見る〉ことの意味の問い直しは重要な課題です。取材対象が不在であるなら、そもそも観察すること自体が不可能なわけですが、様々な取材行為や他人の経験を援用することで複合的に得られた認識は、〈見る〉という概念の中に包括し得るのか。〈見る〉という概念そのものをどこまで拡張できるのかというテーマは、私の課題としてあり続けています。

取材前グラスに注がれた冷たいカルピスは、すっかり温くなっていた。そういえば、カルピスも満洲とつながっていることに思い至りながら、立ち上がろうとしたその時——。

「この上だと書きやすいかも」

諏訪さんから本にサインを求められた。

目の前にある小さな卓袱台に、一冊の分厚いファイルを諏訪さんはそっと置いた。そのファイルの上に本を載せ、文字を書いたらどうかとの提案に、わたしは戸惑った。なんとなく、サイン台にしてはいけないもののように感じたのだ。

それは、諏訪さんが祖母である信子さんの画を描くための資料を綴じた取材ファイルだった。片手ではつかみきれない程の厚さに膨らんだそれは、信子さんを描くために諏訪さんが収集した、ありとあらゆる情報と時間と想いに比例する奥行きを持ってそこに在った。画筆を置く瞬間まで幾度もこのファイルを手に取り、祖母にまつわる情報と取材の向こう側へ接近しようとした姿が浮かんだ。

取材の二日後、わたしはマーシャル諸島へ旅立った。三年前の慰霊の旅をきっかけに制作したドキュメンタリー映画を携えて、現地で上映会を開催することが今回の旅の目的のひとつだった。

島を歩いていると、住民に日本兵の遺骨を探しているのかと訊ねられた。数カ月前、日本から遺骨収集団がやってきて、重機を運び込んで地中を掘り返し、海辺で焼骨をして帰ったという。炎天下の中、島の住民も収集隊員となって手伝い、重機が入らない場所はシャベルで掘り返していた。同じ国からやってきたわたしたちも、同じ目的と動機を持っていると同一視されてしまっても仕方がない。しかし、わたしたちの目的と動機はまったく違うものだった。

諏訪さんが中国での単独取材で味わった無力感が、この時わかったとは簡単にいえない。ただ、わたしは哈爾浜から南に六〇〇〇キロ離れた島で、諏訪さんが取材中、滞在した宿のレターセットにスケッチした《葫蘆島のホテルにて》(二〇一二年)を思い出していた。「ゾンビのように」祖母を描いた《棄民 Civilians》の元になったその肖像画は、肉体をわずかに留めた頭蓋骨の姿で描かれている。その画を想ったことは、憶えておきたいと思った。

HAWAIIAN

旅の記憶

マーシャル諸島共和国・マジュロ、ウォッチェ

二〇一九年八月二日、八月六日

編集時から、マーシャル諸島での上映を夢見ていた。いざ、上映会を目前に控え、藤岡みなみプロデューサーとわたしは現地上映でのタイトル決めに頭を抱えていた。作品のキャッチコピーには「憶えている」ということばを入れた。「忘れた環礁は、憶えている」。マーシャル語で「憶えている」は「keememej（ケーメメッジ）」。日常会話でよく使う「ケーメメッジ」をふたりで発音する。響きを確認し、うなずきあった。

首都にも離島にも、映画館はない。一二年前、わたしがはじめてマーシャルを訪れたときにリジョン・エクニランさんの被ばく体験を聞いた集会場が、宿泊するホテルの中庭にある。「七歳の誕生日のプレゼントは水爆ブラボーだった」とリジョンさんが話した後、ヒップホップが爆音で流れ、サプライズで駆けつけた孫たちが六〇歳になったリジョンさんをダンスで祝った。いつしか彼女もダンスの輪に加わり、夜が更けるまで誕生会が行われた。その集会場で、夕食付きの上映会をしよう。入国した翌日、島内をめぐり宣伝に奔走した。ラジオ局で告知依頼、博物館や図書室で勧誘と、藤岡さんははじめてとは思えないマーシャル語を駆使して、みんなを驚かせる。

開場三時間前、予期せぬ事態が起こった。会場は半屋外のため、陽が落ちるまでプロジェクターの動作確認ができない。配線やスクリーンの設置にも試行錯誤していると、ホテルの警備員がウクレレを鳴らし歌い始めた。「あ〜たま〜を〜く〜も〜の〜、う〜えに〜だ〜し〜♪」これは童謡……題名はなんだっけ？　最後まで歌ってくれてようやくわかった。「ふ〜じ〜はに〜っぽん〜い〜ち〜の〜やま〜」歌詞の意味がわからなくても、実際には見たことがなくても、《富士の山》を知っているように歌い上げる彼は、わたしと同世代に見えた。祖父が日本人で、幼い頃よく聴いて憶えたのだという。

陽が沈むのを待ち、四五分遅れて開演した。お客さんが次々にやってきて椅子を補充するものの、ついには、立ち見をすすめるほかなくなってしまった。急いでご飯も追加で注文する。終盤、固唾を呑んで見守った場面がある。戦前、日本軍が飛行場を作るため、たくさんあった民家を壊した。戦争が終わっても、いまだに日本もアメリカも修復にこない。と長老が話すシーンで、意外なことに笑いの渦が起きた。「よくぞ言った!」という笑いなのか、「そんなこと言ったって仕方ない」と何周もまわった悲しみと怒り、絶望を通り越した笑いか。一二年前、日本語とマーシャル語の《コイシイワ》という歌をはじめて聴いたときに覚えた、戸惑いに近しい。この笑いをどう受け止めたらいいのだろう。時計の針が一周するように、これからまた一周かけて考えるものに出合ったようだ。一二年前と違うのは、映画でつながる仲間たちと今、ここにいること。マーシャル上映の話を、旅の報告を楽しみに待ってくれている人がいること。エンドロールが流れると、あたたかい拍手に包まれた。暗闇の中、隣にいた藤岡さんと、思わず手を握り合う。夢の中にいるのかな。エンドロールが終わり、電気を点ける。上映会に立ち会ってくれた出演者の佐藤勉さん、通訳の末松洋介さん、そして映画を観てマーシャル行きを決意された佐藤冨五郎さんの孫・大蔵智行さんと、ひ孫の美沙さんを紹介した。予想を超える数の観客を前に、ご飯が充分になかったらごめんなさいと謝ると、みんな遠慮して、感想を書いたそばから会場を後にしてしまった。いけない、ここはマーシャル。今度はあわてて「Jouj im mona!!（ご飯食べてください！）」と叫ぶ。上映前、来場者の人数を賭けた。六〇人と一番多い人数を言ったわたしの予想をはるかに超える人が見届けてくれた。映画の中にいる人も観に来てくれて、言いたいことはたくさんあっただろうに「よかったよ。佐藤さん、ありがとう」とやさしいことばをかける。佐藤勉さんも、ひとりひとりの顔と名前をよく憶えていて、再会を悦んでいた。

四日後の離島ウォッチェ島での上映は、日本軍が敷いた滑走路跡に立つ集会場を借りて行った。こちらでも数日前に誕生会が行われ、天井の梁から色とりどりの紙テープが垂れている。掃除をして椅子を並べ終わると、外で待っていた子どもたちが一目散に飛び込んできた。首都の会場より広いため、持参したスピーカー三つでは音響が小さいことがわかると、マジュロ上映会で会った元大統領の孫の婿が、自宅から大きなスピーカーを二台持ってきてくれた。

上映前、通り雨が降った。温度が下がり、ひんやりとした空気が漂う。雨雲が去り、満点の星が輝く夜空には、天の川が架かっている。冨五郎さんが日記に書いた、白い月の光を浴びながら、子どもたちの笑い声に耳をすます。劇中、ウミガメのシーンで話をしてくれた、三〇代前後の男性が、二年ほど前に亡くなったと聞いた。笑顔が眩しい人だった。その彼が登場する場面での反応が、また意外なものだった。スクリーン越しの再会を喜ぶかのように、歓喜の声と笑いがどっと沸き起こる。劇中で戦時中の日本兵のふるまいについて深刻な証言をしているにもかかわらず、その声がかき消されてしまうほどの異様な歓声に包まれる。スクリーンの中ではまだ幼い子が、すっかり大きく成長した姿で客席に座っている。その歳月を感じて笑いあう場面もいくつもあった。この島が、さまざまな存在が「keememej（憶えている）」ことが会場に満ちている。英語字幕がわからなくても、それぞれのシーンに寄り添うように選んだマーシャルの曲のメロディや歌詞から想像できるのか、子どもたちも最後まで真剣にスクリーンを見つめていた。これまでたくさんの上映会に立ち会ってきた宣伝のアーヤ藍さんは、今までで一番あたたかい、しあわせな上映会だと呟いた。

三年前、カメラを向けるとあどけない笑顔を向けてくれたミッチェルは、母になっていた。出産経験のある女性たちが助産師となり、叔母の家で出産したそうだ。マジュロ上映会で、みんなで抱っこしたミッチェルの息子は、翌日、米国のカレッジで勉強するお父さんと一緒にマーシャルを発った。家族と別れたばかりで切ない思いを抱えるミッチェルに、今回わたしたちは終始カメラを向けられていた。いつか、ミッチェルが撮る映画を観てみたいと伝えると、彼女はいつもの調子でおどけてみせた後、眉をぴくりと上げた。

TAKEDA Kazuyoshi
TAKAMURA Ryo

3.

そこにいたであろう人を、みんな肯定したい

武田一義×高村亮

二〇一九年九月一三日　仕事場

青い空と碧い海。椰子の木が揺れる島の海岸に戦車が映り込む表紙の景色は、知っている島によく似ていた。赤いハイビスカスが朽ちた戦跡を彩り、咲き乱れるハマヒルガオの上に錆びた砲弾が転がっている。ひとりの日本兵が手帳を広げて立っている。武田一義さんの漫画『ペリリュー――楽園のゲルニカ』。登場人物の身体はデフォルメされた三頭身。細やかでリアルな背景描写のなかで主人公の両眼だけがシンプルな折れ線で描かれ、読者の想像力に感情の読み方を委ねている。

ピカソは故郷ゲルニカの街を主題に、リアリズムではない手法で戦争とは何かを伝える巨大な絵画を描いた。大林宣彦監督がそれに倣い〈シネマ・ゲルニカ〉と題し、想像力をかきたてる演出で戦争を伝える映画を作ったことも彷彿とさせる。

七五年以上前、日米合わせて約五万人の兵士が闘った南太平洋・パラオ諸島南部のペリリュー島。南北約九キロ、東西約四キロの小さな島で、一日に数ミリ程度しか掘れない珊瑚の岩肌を掘って作った洞窟に、日本軍守備隊約一万人は身を潜めた。

戦史は数字で語られやすい。数字に置き換えられることで、ひとりひとりの生と死に向き合う想像力はいとも簡単に思考停止へと転じてしまう。数字からこぼれ落ちてしまう、儚く消えていった夢や叶わなかった想いに息を吹き込むように、武田さんはペリリュー島の生と死を、やわらかくも鋭く描く。

主人公は漫画家志望の田丸一等兵、二一歳。一巻の冒頭で田丸は隊員の〈最期の勇姿〉を遺族に伝える功績係を任命される。不慮の事故で命を落とした仲間でも「立派に死にたい」と願った気持ちを考え、勇ましく闘った架空の戦闘シーンを記し〈戦死〉を伝える仕事だ。

漫画『ペリリュー』に出会った二〇一七年の冬。わたしは防衛研究所の史料閲覧室へ通っていた。マーシャル諸島のウォッチェ島で餓死した佐藤冨五郎さんの日記を傍らに、同島の第六四警備部隊員の戦没者名簿（史料名「昭和19年昭和20年戦没者関係綴」）をめくりながら、日記に出てくる仲間の死因を照合していた。日記には食糧が尽き、栄養失調になった仲間が床に伏したまま翌朝目覚めなかったと綴られている。しかし、海軍作成の史料には「対空戦途中頭部貫通機銃創に因り戦死」と、戦って命を落としたように記されていた。冨五郎さんの死因も、胸部に被弾と書かれている。まるで田丸が書いたように。

記録的な暴風で関東各地に被害をもたらした台風一五号が去って三日後。九巻に収録される連載を執筆中の武田一義さんを訪ねた。二回のペリリュー島取材も同行された担当編集者の高村亮さんにも無理を言って同席いただいた。

戦後七〇年でうまれた企画

武田　戦後七〇周年の二〇一五年に『漫画で読む、「戦争という時代」』（白泉社ムック、二〇一五年）を出版する企画があって、描きませんかと打診をいただきました。漫画家としていつか手掛けてみたい題材だったので、この機会にやらせてもらおうかなと思ったのが『ペリリュー――楽園のゲルニカ』連載のきっかけです。

戦争のことは自分自身でも調べてみたいことでしたが、日常生活のなかでそういう時間はとれないので、仕事でできたら一番いいなと思っていました。人に伝えたいというよりは、自分自身が知りたいという欲求が先にありました。

なぜペリリューかというと、偶然が重なりました。ちょうど戦後七〇周年で、いまの上皇夫妻が慰霊訪問に行かれたのがペリリュー島でした。ニュースでその島の名前を知った人が多かったと思うんです。僕もそのひとりでした。

また『戦争という時代』の監修が、いまも原案協力していただいている〈太平洋戦争研究会〉代表の平塚柾緒さんでした。平塚さんが若いころからライフワークとしてきたのが、ペリリュー島の生還者たちへの聞き取りでした。ペリリュー研究の第一人者で、昔から調べてきた蓄積がある平塚さんと出会うことができたので、今ならペリリュー島の漫画が描けると思いました。戦争を描こうと本気でとりかかったら、専門家の協力なしにはとてもできないので、平塚さんとの出会いはとても大きいです。

高村　商業誌で戦争漫画をやることはほぼなかったので、『戦争という時代』は珍しい企画でした。一冊まるごと戦争だから大慌てでいろんな作家さんに声をかけたら、武田さんがたまたま前から描きたかったテーマで、ちょっと考えていたことがあると。

武田　そうなんです。『さよならタマちゃん』（イブニングKC、二〇一三年）のあと、次はどんな漫画を描こうかと思っていたときに、キャラクターデザインから考えてみようとしたことがありました。のちに田丸になるキャラクターが、どんな格好をしていたらアイキャッチがいいかなと考えたとき、兵隊さんの格好が思い浮かんだことがあって。

高村　僕は高知県出身で、戦争は学校で習うレベルでしか知らなかったので、一から一緒に調べてくれる漫画家さんがいいなと思っていました。

武田さんの『さよならタマちゃん』がすごく素敵な作品なんです。病気になった主人公が、まわりの人たちとの出会いの中で治癒していく。そんな命を描いた作品を描く武田さんとだったらと思って打診したら、すぐやりましょうという話になりました。

武田　最初は、よみきりで終わる可能性もありました。

でも平塚さんから話を聞きながら自分でも調べていくうちに、よみきりだけでは描きたいことが収まりきらなくなっていました。「連載にできませんか」と訊いたら、「ぜひ進めてくれ」と言われたので、連載用の話として作り直しました。

でも漫画というのは商業活動なので、当然売れなきゃいけません。三巻で終わらせることもできるし、人気がでたら続けることもできるという状況の中で始めました。

〈みんな〉そうだった？

武田　僕は北海道出身です。北海道にも戦争の話はたくさんありますが、祖父母などから戦争の話を聞いたことはほとんどありませんでした。

子どものころ同居していた父方の祖父は、体が悪くて召集されませんでした。母方の祖父は戦争に行っていたようですが、復員後に早く亡くなってしまったので会ったこともありません。

そんな僕が、なぜ戦争という題材に惹かれるのか。

子どもの頃から、僕のなかでずっとひっかかっていることがあります。

たとえば、「みんな「天皇陛下万歳」といって亡くなっていった」という生還兵の証言があります。一方で、「みんな「おかあちゃん」といって死んでいった」という証言もあります。どちらも「みんなそうだった」という話し方をしていて、そのことが子ども心にひっかかっていました。それは半分ほんとうで、半分は嘘というか誤解なのではないかと、子どもの直感として感じていました。たぶんどちらもいて、〈みんな〉ではなかったんだろうなと。そういう相反する複雑さを描いている作品をあまり見たことがなかったんです。やっぱりどちらかの押し出しが強くなってしまう。

僕が描くなら、どっちもいたんだという状態を普通に描いている作品にしたいとずっと思っていました。そこにいた人たちに寄り添った作品を描きたい。戦地に行かれた人がどういう気持ちだったのかを考えたいと思いました。

高村　七〇年以上経ったからというのもありますね。今までは戦争を描くときに作家の政治的な立場をはっきりさせないといけない作品が多かったように思います。

武田　戦後の戦争の作品は、何かしらに対するカウンターとして働いてきたといえるかもしれません。

一番わかりやすいのが、特攻です。特攻に行って亡くなった人に語る術はありません。でも上官で生きている人はいますから、まず指導した上官の目線で特攻兵を称える話が現れる。それに対して、特攻兵を取材した記者は、実際はきれいごとではなかったというカウンターを発表する。カウンターですから当然、現実は悲惨だった、喜んで死んでいったわけはないという点を強く押し出したものになります。それは全然悪いことではなくて、その思いには共感できます。ただ、何十年も経った今、どちらの語りも背景なしに考えることはできないと思います。

以前、『不死身の特攻兵――軍神はなぜ上官に反抗したか』(講談社現代新書、二〇一七年)を書かれた鴻上尚史さんと対談しました。鴻上さんが特攻隊の整備工の人から聞いた話をしてくれました。「お前らはこれから特攻に行く」と言われたときに、一〇人中九人は、顔が真っ青になる。でもひとりくらいは、「よしやってやる」というテンションになるそうです。僕らは特攻を悲惨で馬鹿げた作戦で、みんな行きたいわけないじゃないかと思いたいですよね。でも一〇人中ひとりは、意気に感じる人がいる場合もある。そのひとりももちろん、死ぬまで迷いがなかったかはわかりませんが。

七〇年の時間が経った今、その両方が描けるのかなと。そういう見つめ方をする時代なのかなと思います。

〈しかたのないこと〉を丁寧に

「知識偏重になってはいけない」という思いを、武田さんは編集の高村さんと共通して持っていると言った。体験していないことを描く前に、必ず具体的にまずは想像してみる。

高村さんは「家族がこうなっていたら嫌だな」とか、自分の感情が動いた証言には線を引いて参考資料を読むという。自分自身や家族など顔が見える存在に置き換えて考えることで、読者の感覚から離れないように心がけている。

七五年の歳月が流れ、戦争体験がない読者も多様化している。さまざまな価値観を持った読者が追体験できるかどうか。体験者への取材や連載の組み立て方にも、継承を考える上での試行錯誤が見え隠れしていた。

武田　僕の場合は、何十年も前に平塚さんがすでに取材しているという前提があります。僕が生還者からうかがった話の九〇％以上は、平塚さんの本や取材テープの音源で知識としてはほとんど知っています。それでも実際に会って話を聞くことで、感情や人柄、当時の体験をいま現在どのように受け止めているのかをまざまざと感じることができます。たとえば「こんなふうに命からがらだったよ」という話をされるときには、なるべくユーモアをまじえて笑い話みたいに話をしてくれます。もともとのお人柄かもしれませんし、サービス精神かもしれません。しかし、そういうふうに穏やかに話をしているかと思うと、突然こみあげるように泣き出してしまって話が続けられなくなることもありました。

七〇年以上経っていても、当時の気持ちが瑞々しいかたちで残っている。僕たちはわかりやすく理解するためにＰＴＳＤと病名を与え、概念としてその心の現れを知ってはいますが、実際に目の当たりにするとよくわかります。

僕はペリリュー島生還者の土田喜代一さんとアンガウル島生還者の倉田洋二さんのふた

りに話を伺いましたが、ふたりとも、当時の戦友の名前を口にしたときにわっと泣き出すんですね。戦友はそこで亡くなってしまって、自分は生き残って何十年も生きている。一緒にいた人のことを思い出して、その場で泣いてしまう感情を推し量ることは、実際に会うことでしか得られないものです。

作品をどういうかたちにしようかと考えた時に、誰かの体験記として描くのか、それともフィクションの物語にするのか、というのがひとつの大きな岐路でした。

誰かの体験記にすれば、すべてを事実で固められる。ただしその人の視線から外れたものは、作品として描くことができない。フィクションにすると、主人公の視点からは外れてしまっても、あったと考えられることも作品に盛り込める。ただそのときは事実を記したものではなくて、作者の想像力もまざった物語になる。

僕自身は体験していないから、体験した人の話を描くしか方法はないんじゃないかと思っていたんです。平塚さんにそう伝えると、フィクションにすればいいのではと言われました。平塚さん自身は体験者のプライバシーを考えて、知ったけれども書かなかったことがありました。でもフィクションなら、そういう部分も作品に盛り込める。

迷った結果、僕はフィクションを選びました。

例えば、性自認に迷いを抱く泉くんを描いたのは、戦地で同性愛のカップルがいたと平塚さんは生還兵から聞いていたからです。でも、平塚さんは書き残さなかった。僕は泉くんのような人がいる方が自然だと思いました。

また戦争がすでに終わっている状態のときに、仲間内でもめて日本兵同士で殺し合いをしてしまった時のことを、土田さんが話してくれたことがあります。普段は穏やかな土田さんが感情を高ぶらせて、「あなたどう思いますか。ひどいと思いますか」と訊かれました。「しかたなかったんだと思います。そういうふうに僕も描きたいと思います」と答えたら、土田さんはちょっとほっとしてくださいました。

体験者の人生を重んじて平塚さんが書かなかったことも含めて、物語にしたいという気持ちが一番強くありました。もちろん、僕も彼らの人生を損ないたいとはまったく思いません。語る語らないは個々人の自由ですから、どんなことでも後世のために語るべきだとは到底言えないです。ただ、今では考えられないと思う行為を彼らが戦時中していたとしても、その行為がいかに〈しかたのないこと〉であったかを、漫画として丁寧に描きたい。

せめて、いい傷をつけたい

武田 手がかりとなる資料は豊富にあっても、筆が止まってしまうときがあります。例えば、戦争が終わったことを知らずに、ペリリューで潜伏している主人公たちが、アメリカ軍のゴミ捨て場から新聞や雑誌を拾ってきて、いまの状況を知るという場面を描いていた時のことです。新聞や雑誌を見て、戦争がとっくに終わっていると思う人たちと、それはアメリカの計略で戦争は終わっていないと主張する人たちに意見が分かれます。現代の僕たちからしたら、終わっていると考えるほうがすんなりきますよね。でも終わっていないと主張する人たちの、アメリカ軍の策略だということばには、そのままの気持ちしかなかったのかと、ちょっと考え込んでしまいました。

もし戦争が終わっていなければ、いままでどおりやっていけるわけです。非常に過酷な状況であっても、ある意味ではそれは安定した状態なんです。でも終わっているとなると、いろんなことがガラガラと崩れてしまう。終わっていると切り替えられない気持ちは単純ではなかったんだろうなと。そういうことは描いていく中でわかっていきました。

アメリカの雑誌に映っている米兵と一緒にいる日本人は、いかにも幸せそうに笑っているんです。実際に作品を描きながら、あらためてその写真を見た時に、ざわっとした、すごく嫌な気持ちになりました。兵隊さんたちにもそういう気持ちがあったのかもしれないと思いました。

高村――今の時代と違って、当時は情報があるわけではないので、ひとりひとりにそれぞれの正義があって、行動していたと思います。そこに説得力があるように描くのが大切だと思っています。

〈潜る〉という表現をしますが、キャラクターの心情にぐっと入って物語を描き上げて、それからネーム（コマ割りや台詞などを大まかに下書きする作業）にかかるときに、もう一度しんどい思いをしないといけません。武田さんは、事実とともに、感情面をしっかり描くということを意識されている漫画家さんです。キャラクターの気持ちに〈潜り〉ながら、でも射殺された泉君の口から金歯を切り出すような殺し方を描くわけです。編集者でも、できたら助からないかなと思いますし、読者もきっとそう思っているんですが、でも物語上、その人が死ななければ成立しません。

武田　戦争の話ってしんどいですよね。

戦争の話だからハッピーエンドではないとは、読んでいる人もうすうすわかっている。ハッピーエンドが期待できないから、そもそも読みたくない人も相当数いるはずです。それは『ペリリュー』にかぎらず、戦争に関わるコンテンツはそういうところがあるはずです。

描いている自分もそうなんです。描きながら傷つくことがわかっていて、でもそれをやりたくてやっている。僕は登場人物を好きになってくれるように描いています。でもたぶん、この作品を読んで登場人物を好きになればなるほど、傷は大きくなる。

せめていい傷のつけ方をしたいなと思います。何がいい傷なのかはわからないですが。傷つくことがわかっていながら読んでくれる人がいることは、本当にありがたいですね。

高村　最近、漫画もストレスを嫌う印象があります。読者がすごくストレスを嫌うから、受け手にストレスをかけない作品を意識的に作ることが多いんです。〈なろう系〉という最近すごく売れているジャンルがあります。ブラック企業で働いていた人が事故で急死してしまって、気づいたら異世界にいてモテライフが始まるみたいな。

武田　読者にストレスをかけないというのは、二〇〇〇年代に顕著になりました。主人公が挫折を乗り越えて成長していくという物語が嫌われる傾向になってきた。僕らが子どもの頃は、そういう作品を読んで育ってきたので、それが物語のカタルシスとしてありました。しかし、いまは読み手側がストレスは現実で十分だと、物語の中でまで挫折したりストレスを感じたりしたくないという風潮があるんです。それは仕方のないことだなとも思っています。

考えてみると自然なこと

漫画『ペリリュー』第二話には、一九四四年秋、ペリリュー島守備隊隊長命令で島民への避難指示が出され、島民はパラオ本島やコロール島へ避難した様子が描かれている。

しかし、なかには島に留まらざるを得なかった島民がいたのではないかと推測しながら、わたしは連載を読み進めていた。三年前マーシャル諸島のウォッチェ島で戦時中の話を聞いていた時、要塞化した島で日本兵と一緒に働いた島民の話を聞いた。食糧が不足するように

なると、島民は日本兵から逃れるために手作りカヌーで島から自力で脱出していた。話をしてくれたひとりのエレンさんは、幼かった自身も母親に抱えられながら脱出し、他の環礁へ避難したという。一緒に脱出した父親は途中で高波にさらわれてしまい、命を落としていた。

武田　一九四四年九月一五日に米軍が上陸してからの戦いが〈ペリリュー島の戦い〉といわれるものですが、以前から海路・空路は制圧されて空襲が続いていました。とくに三月はパラオ大空襲があって、軍人も島民も死亡者がたくさん出ています。米軍上陸前に日本軍が島民を避難させて、島に島民はいなかったという理解が一般的なんです。僕もそう思って書きはじめました。

でも取材を進めていくと、島に島民がいたということがわかってきました。上陸した米軍が、子どもや高齢者も含めた島民の家族を保護している写真が何枚かあるんですね。戦闘中に島にいたというおばあさんも現地で生きてらっしゃった。いたからには、描くしかない。予定にはなかったけど、登場させねばならないと思いました。

高村　僕が読んだ書物でも、島民は避難しているという前提でした。しかもそれはこの戦場のある種のハイライトというか、日本軍の良かったところとされています。でも、ペリリューで泊まった民宿のオーナーのおばあさんも戦時中、島にいました。

戦争が始まる前、洋裁や着物の縫い方を習うため、ナガサワさんという日本人の家に住み込み、縫い子の見習いをしたペリリュー島民もいた。見習いを終えると、ペリリュー島で裁縫店を開き、戦争が近づくと兵隊の服を縫った。やがて島内にいては危ないと家族で避難した島民の証言を、二〇一六年にパラオで聞き取りをした寺尾紗穂さんは著書『あのころのパラオをさがして——日本統治下の南洋を生きた人々』で記している。

武田　そのときは四巻の途中だったんです。激しい戦いが終わる直前のシーンで、この機会を逃したら出せないという状況でした。

既に書き上げたネームでは空腹と疲労で朦朧としている田丸を仲間の兵士である小杉が助ける予定だったんですが、原稿の清書の段階で島民のことを知って、パラオの女の子ニーナと男の子ケヴィンを急遽登場させることにしました。

でも考えてみると、それが自然なんですよね。今の社会で、たとえば災害があって避難しても、ひとり残らず避難することは難しい。まして戦争中の混乱の中で一〇〇%避難できていないというのは、考えてみればそっちのほうが当然と思えます。

「へいたいさんだいじょうぶ?」**気を失っていた田丸に、四巻で登場するペリリューの女の子ニーナは日本語で声をかける。ニーナは**「こうがっこう3ねんせい」**と上手な日本語で自**

己紹介をし、**弟のケヴィンは日本語の歌を流暢に歌う**。それまで**主人公の田丸**をはじめとする**日本兵の視点を軸に物語を読んでいた読者は**、**村の子どもふたりの登場**によって、**島民の視点**で〈**ペリリュー島の戦い**〉を考えることになる。

武田　すべてのことを知ってから作品を描いているわけではありません。知らないから知りたいという思いがあって、だから途中で知ってしまうというケースはどうしてもあります。これはその典型です。

ニーナとケヴィンについては、島に島民が残っていて米軍に保護されたことが史実です。その前に戦闘中の日本兵との接触があったというのは創作です。

たとえば脇役でも、いたであろう人を必ず描いておく。一万人の日本兵のなかにいたであろう人を、作品から除外しないことで全体のバランスをとっています。田丸やもうひとりの主人公の吉敷は生き残ることに執着しているキャラクターです。でも生き残ることにさほど執着がない人も当然いたわけで、そういう人を除外しない。「天皇陛下万歳」と言って死ぬことに意気を感じていた人もちゃんと描く。僕の作品ではありますが、自分の意志や思いを最優先させて描いているわけではありません。

現実にはそれぞれの人生があって、ものの考え方や価値観はそれぞれにあるというのを作品から漏らしたくない。勝手に編集したくない。

描き方の軽重はもちろんありますが、一番は、そこにいたひと全員のことを肯定したいという思いです。そこにいた、という意味を描く。その思いが一番強いです。

二度の現地取材

武田さんと高村さんは、連載の合間を縫って、ペリリュー島を二回訪れている。武田さんのブログには、現地で撮影した写真もたくさん使われたフルカラーの漫画取材旅行記が掲載されていて、読者も取材の様子を追体験できる。日本兵が隠れて暮らしていたほら穴に、武田さんが身をよじらせながら入り込む場面は、写真と吹き出しのことばだけで展開する。暗闇の中に今も眠るガラスや金属片、炊事跡、壊れた靴や水筒を懐中電灯で照らしながら、武田さんの耳には『ペリリュー』登場人物たちの声が聴こえていた。

武田　最初に行ったのは、ちょうど一年描いて、少なくとも四巻までは描けるという感触を得たタイミングでした。

平塚さんの膨大な研究があって、生還者の証言や米軍の本もあるから、一巻から三巻の軍と軍との戦いについては、豊富な資料だけで描けたんです。でも四巻以降は軍隊同士の戦いではなくて、生き残った――当時の彼らはぜったいにそういうことばは使いませんが

――〈敗残兵〉のストーリーになっていきます。彼らが敗残兵になってサバイバルに物語が突入していくと、資料がかなり減るんです。生還者の部分的な証言だけになってくるとディティールを埋めることが難しくなってきて、現地の地形や風土を実際に感じないと描くのが難しいと感じていました。大きな島ではないから、行けば何とかなるんじゃないかと思っていましたが、とんでもなかったですね。

高村　全然ダメでしたね。平塚さんから写真を借りて当時を知る人を探しましたが、誰にも会えませんでした。地図を持っていても、自分たちだけでは地図も役立たず、現地のガイドさんに連れて行ってもらわないとどこにも行けませんでした。

武田　森の中はとくに、現地のガイドさんがいないと一歩も歩けないようなところでした。不発弾が残っているので、整備された道を外れてしまうと、何が起こるかわからない。

　ガイドさんとの出会いには恵まれて、本来のツアーでは行かないようなところも案内してくれました。

　ツアーでは『ペリリュー』を読んで来たという人とも一緒になりました。ガイドの平野雅人さんが一話分のためし読みを現地で配ってくれているんですが、すでに読んできている人が多いと教えてくれました。現実に影響を与えているというのは嬉しい驚きです。

　島内は車があれば半日で一周できてしまいます。ただ日本軍が陣地を構築した中央の山地は、ほんとうに険しいところでした。海抜九〇メートル程度でそこまで高くはないのですが、険しい崖が続いてアップダウンが激しい。そこを進軍した米兵も死傷者を多く出したので、たしかにと納得できました。

崖に日本兵が入ったタコツボがあるんです。そこに入って米兵を待ち伏せして狙撃する。でも狙撃したら場所がわかりますから、狙撃兵も間違いなくやられる。ひとり殺したらひとり殺される。そういうところだったんだなと実感できました。

高村　島のサイズ感は、漫画で読んでいた感覚と大体合っているなと思いました。壕に実際に入って、狭さを実感しました。ここでよく住んだなと。とても長い時間はいられませんでした。

武田　僕も普段だったら絶対躊躇しますけど、取材なので壕に入りました。中に入るとすぐ天井があって、カマドウマがたくさんいる。狭い、暑い、息苦しい。日本兵のおかれた立場や状況をはじめて感じることができました。

熱量の差はあっていい

武田　田丸は普通の人だと思います。

普通に生きていて、召集で自分の番が来て、日本人である以上はそこに行くという選択肢しかないから行く。死にたくないから、そこでできることを一生懸命する。手が空いたら、時間を潰すために書きものをして画を描く。故郷の家族に想いをはせる。日常の暮らしの延長線上にいるなと感じます。

僕は全員がまったく同じ考え方でないといけないとは思っていません。この作品では、それぞれの熱量の差はあってもいいから、戦争のリアルがいろんな立場の人に少しでも伝わればいいなと思っています。

自分の作品で、この世界から戦争がなくせるなんてことは、考えないようにしています。そこを考えるとおかしなことになってしまう。多くの人に読まれれば読まれるほど、いろんな読まれ方をすることになります。そのいろんな反応のなかには、僕がほんとうに伝えたいこととは違う反応も当然含まれてきますが、それも含めてそれぞれの人だなと思います。

全員が同じ熱量で望んでいないと平和は実現しないと思いこんでしまうと、それは危険なことです。平和を強く望んで実際に活動をしている人もいれば、ひとまず心の中でだけ、そう望んでいる人もいる。自分の人生を不幸だと感じている人は、戦争によって社会全体の幸福度が下がることをいとわないかもしれないし、むしろドカンとこの世が滅んでしまえばいいとすら思う人もいるでしょう。また、今現在世界で行われている虐殺や内戦への関わり方は平和を望む人たちの間でも意見が分かれるでしょう。違いがあることを否定していけない、と思います。ただいずれにせよ思考や判断の前提となる戦争の残酷さが過少評価されることがないよう、リアルなディティールを届けたいと思って、僕は描いています。

インタビューを終え、三つの質問を書いた紙に回答を書き終えると、武田さんと高村さんは互いの用紙を見せあった。笑いながら頷きあうふたりの深い信頼が、息のあった回答にもよくあらわれていた。

二カ月後、ペリリュー島から生還した日本兵三四人のうち、最後の生存者だった永井敬司さんが九八歳で亡くなられた。二三歳の時ペリリュー島で戦った永井さんは、敗戦後も島の洞窟などに潜伏し、一九四七年に帰還した。一年前、「あそこで戦っていない人にはわからない」と武田さんへの取材協力を断っていた。「取材を断られたこと自体が大事な取材であった」と語られた武田さんのことばを思い起こした。

ENDO Kaori

4.

不時着と撤退戦／いつもどうしても含まれてしまうこと

遠藤 薫

二〇一九年一〇月一七日～二〇日　ベトナム社会主義共和国　ハノイ

青森

沖縄

ベトナム

九月六日　東北、ベトナム、沖縄、インド、タイ、ラオス。各地の土、埃、風がホワイトキューブに舞う。一九一九年に開館した現存する日本最古の画廊、銀座・資生堂ギャラリー《遠藤薫展　重力と虹霓》にて時空を超えて縫い直され、明暗の記憶を纏った古布を見上げる。

戦前・戦後の空間と時間を、経糸と緯糸で織り上げるように描いた〈工芸＝虹霓（こうげい）〉の輪郭に目を凝らす。布の背後に横たわる時間の集積を、気配を、遠藤さんは極めてユニークな方法で拾い集める。

会場の隅に置かれたモニターの中では、展示中央にある古布を縫い合わせた大きな雑巾で、遠藤さんが家の窓をせっせと拭いている。レーニン像の台座もごしごしと拭く。ハノイの路上では、遠藤さん自身が重石となって布の上に転がり、数人がかりで遠藤さんが寝っ転がっている雑巾を引きずり歩く。「排気ガスで汚れた路上を拭いているのだ」と、美術活動を取り締まる警察の規制をかわしながら——。

純粋であろうとすればするほど、ユーモアが滲み出る。遠藤さんに会って話を聞きたいと思った。

九月一〇日　依頼状を書いて送ると、その日のうちに返信を受け取る。

「ハノイへ来ませんか？」

宿は遠藤さんのお家で、映画の英語字幕があれば是非、大川さんの映画の上映会をしませんかと、ありがたくうれしい提案を次々と頂く。さらに数日後、ベトナム政府はネット検閲をしているため、SNSでの上映会案内は次のようにすると連絡があった。

「一九日（仮）の夜にみんなでご飯を食べながら観ましょう。（天丼とか作るといいのかな）」

上映予定の映画に、天丼を食べるシーンがある。マーシャルで餓死した日本兵・佐藤冨五郎さんが最後に食べたいと日記に記していたのが天丼だった。そこで遠藤さんは〈天丼を作って食べる会〉と称してホームパーティーの告知をした。映画に含まれている〈戦争〉が検閲に引っかからないための作戦。つい先日、香港の暴動ドキュメンタリーの上映を予定していたハノイのスペースが検閲を受けたから、とのこと。ちょうど佐藤冨五郎さんの息子である勉さんから届いた新米をトランクに詰め込む。

一〇月一七日　八時半に搭乗したANA857便は、予定より少し遅れてベトナム時間の一三時にハノイ・ノイバイ空港に到着。緑色のタクシーで、遠藤さんの自宅付近へ向かう。雨が静かに降りだした。タクシーを降りると、二、三人乗りの原付バイクの波に飲み込まれる。老若男女九割のライダーが着用しているカラフルな布マスクが目に留まる。茶色い雨合羽のフードを被った遠藤さんが、黄色い雨合羽を持って道の向こうから走って出迎えてくれた。ここは花市場。夜になると人が埋もれてしまうほどの切り花で溢れる。

ベトナム人は歌が好きで、兵士たちも、夕暮れになって涼しくなると、何人か集まってうたった。物悲しい調子の歌が多く、夕日が落ちていくのを見ながら、哀調のあるベトナム兵の歌を聞いていると、長いあいだ外国によって支配されてきた国の悲しみを理解できるような気がした。

私は、沖縄の歌によく似ていると思った。

——石川文洋『戦場カメラマン』（一九八六年）

一〇月一七日（木）曇り時々雨　15:30　@屋台

[Chi oi!（すみません!）Cho Tôi 2 bún chả, 2 bia nha.（ブンチャーふたつ、ビールふたつください）

ハノイの昼食といえば、bún chả（ブンチャー）。bún は米の麺、chả は肉。甘酸っぱい牛肉つけ麺。備え付けのグリーン野菜と香草は食べ放題です。社会主義国だからね。

ビール専用の水色の泡グラスは、コーラ瓶のような廃棄物を溶かして再利用されています。だから気泡だらけで、ひとつひとつ微妙に形や大きさが違う。そう、まるで琉球ガラスみたい]

小学生の頃、ブラウン管越しに、琉球ガラスを作る職人の稲嶺盛吉さん（一九四〇〜）を知りました。米軍のコーラ瓶などを再利用してグラスや花瓶を作るのですが、再生ガラスだから気泡がどうしても入り込んでしまう。その欠点を逆手にとって籾殻や魚の骨をガラスに混ぜ入れ、むしろ泡だらけのガラスを作る彼の姿勢に、私は幼いながら感銘を受けました。その頃から沖縄へ行くことを周囲の人たちに宣言していました。お金がなくなっても泳いでいる魚を釣ったり、その辺のココナッツを食べて暮らすから、と。そんなある日、テレビ画面の向こうでイスラム過激派の飛行機がワールドトレードセンターへ突っ込んでいました。戦後って学校の先生が言ってた気がするけれど、それは日本の話で、地球全体が戦後だという意味ではないのか、と当時の私は思いました。その約一〇年後、予告通り私は沖縄県立芸術大学の工芸専攻へ進学しました。

沖縄では強すぎる日差しの中、街の上空を米軍の飛行機が唸りながら飛んでいました。私が中学生の頃、隣町の大学には米軍のヘリが墜落し、炎上したそうです。そのように米軍と沖縄市民との事件や事故が相次いでいることは本土では報道され難く、それらの出来事は那覇に下宿し始めて知ったことが多いです。

大和人（ヤマトンチュ）である私が、琉球王朝の権威的染織、紅型（びんがた／型絵染）を学ぶ際に感じる疎外感。数々の集団自決の跡地。開発現場で掘り起こされる白骨と遺品。米軍による女性への性暴力事件。度重なる飛行機器の落下事故。オスプレイ配備反対の座り込み。辺野古埋め立てのデモに参加せざるをえない大学生活を送る中で、一九四五年から今も終わっていない戦争と、これからの戦争について、ゆっくりと思考を進めはじめました。

二年前、息子を出産後一年も経たぬうちにベトナムに来ました。沖縄といい、ベトナムといい、アメリカ兵や戦争と関わりの深いところを選んで移り住んでいるように思われるかもしれませんが、あくまでも工芸の道や染織の素材を遡った結果でした。ベトナムでは五四もの少数民族が、今も生きた原始的染織技術で独自の文化を営んでいます。日本では特別な免許がないと栽培できない麻の布が現在も織られていて非常に勉強になります。藍(あい)竈(がま)の建て方も独特なので、単にそのことについて知りたいと思っていました。

日本の染織の歴史を学ぶ際に〈戦前の布、戦後の布〉という区別がよく使用されます。特に麻の古布を見れば、おおよそ戦前だと確定できます。なぜなら第二次世界大戦後にGHQによって大麻の栽培は禁止されたからです。染織を学んでいると必ず含まれる〈戦争〉の鱗片。例えば沖縄では、型絵染（紅型）は、米国製レコードの欠片で糊ヘラを作り、米軍兵婦人の口紅を顔料として紅をさすことで、戦後再興されました。大学ではまず、米軍の薬莢を用いて筒引き染めの道具を作ったことをよく覚えています。過去には米軍のパラシュートを解いた絹糸で織られた絹布もありました。偶然手にした沖縄の古着物の中に、米軍服の切れ端を用いて繕った痕跡がありました。船の帆も米軍のメリケン袋を継ぎ接ぎにして使用されていたり、と沖縄の染織や布の話をしようとすると――先ほどの琉球ガラスもそうですが――どうしても戦争が絡んでしまう。戦争をわざわざ描きたいわけではないのです。なのに、いつもどうしても含まれてしまう。

二〇一八年の一カ月間、バンコクは川向こうの工場の空き部屋に住んで、約五〇〇〇匹の蚕を育てました。現地の人曰く戦前に織られたであろう絹古布に空いた穴を、蚕自身に修復してもらう作品を制作しました。五〇〇〇年以上前から人間に飼いならされている蚕は、人工的に弱い生き物として品種改良されています。卵から孵ると二四時間近く桑の葉を食べ続けて、三週間で小指ほどの大きさになります。ここまでの食欲は自然界では害虫です。害虫ですからバランスを取るためにもともと弱い生き物であった可能性もあります。自然界ではひっそりと生きている蚕と人間の生物的繁栄の利が合致し、結託し、ある種の蚕は人間に依存することで種を繁栄させている、とも言えます。鳥のみならず蟻すら天敵で、羽虫がつけば病気が感染して全滅するようなある種の蚕たちを、人間が衛生管理をして生かしています。バンコクでの制作中に、息子が「トマトジュースどうぞ」と蚕に少しジュースをかけただけで、多くが死滅しました。どうぞ、という気持ちは素晴らしいことなので、息子のことは叱りませんでした。一カ月間で五〇〇〇匹育てて、生き残ったのは三〇〇〇匹くらい。三〇〇〇匹の吐く糸を紡いで織って、やっと着物一着分になる。その質の良さももちろんですが、自ら育ててみることで絹糸がなぜ高貴なのかということを体感しました。私は文献を読んでもね、全然何も納得できないんです。実際にやってみるより他に、腑に落とす良い方法を知らないのです。

蚕は繭を作るタイミングで周囲に壁がないと糸を縦横無尽に吐き出してしまいます。そういう生物の習性を利用して、平面に糸を吐かせ続け不織布を作らせる。これは中国やベトナムにもある、王家の布団に使用されていた贅沢な技法です。この技法を利用して古布の穴を埋めてもらいました。布の上に蚕を這わせていくと、蚕はほころびや穴を埋めるように糸を吐いていきます。戦火の損傷なのか、日常の労働であいたか定かではない穴を蚕が埋めてゆく。人間と共犯関係にある蚕に糸を吐かせることが暗示するものについて。蚕を育てて糸をはかせるときにはいつも、すまないな、と思います。糸を吐く姿が素晴らしいのですが、素晴らしいと同時に申し訳なくなって、悪いなあ、と口にしてしまうのです。頑張ったな、とも。だけど、三日三晩吐き続ける蚕と共に過ごしていると、ヘトヘトになって、終盤のほうには早く終わらないかな、とも思います。

また、ジャガードの織り機は産業革命の礎であり、織り機の構造はコンピューターの前身である、と言われています。蚕は様々な用途で医療に利用され、宇宙飛行士の動物性タンパク源の候補として実験が進んでいるそうです。いわば害虫同士がこの星から離れようとする道筋に絹織物が関係している、と、仮定したならば、工芸と蚕と人間の関係性ひとつとっても、両義的な何かが多層に織り重なっているように思えます。どうでしょうか、こんなふうに生活に根ざした布の素材について、背景について紐解いてみると、布の織り目には政治や戦争、生に関するあらゆるものがどうしても含まれていることに気がつくことがあります。

［また雨が降ってきましたね。雨季なので一日一回はスコールがあります。日が暮れる前に、本好きのベトナム人青年フィーくんが開いた私設図書館が家の近くにあるので行ってみましょう。社会主義国では本の輸出入が自由にはできないので、彼がどこかから集めた国内外の古本をめいっぱい部屋に詰め込んだ図書館です。外観からだと単なるフレンチコロニアル様式の古びたアパートに見えますが、各部屋にアーティストが多く滞在しています。裸婦画がやっと公認になったこの国では、漢字が用いられた映像作品というだけで、警察に訳を提示しなさいと言われることもあるんですよ。

夜は、ベトナム戦争時に墜落した米軍の爆撃機B52の機体が突っ込んだままにされている池にも行きましょう。その池の周りには〈B52カフェ〉という名の店が何軒か並んでいます。フィーくんに池のことを尋ねてみたけれど、彼はこの池のことを知らなかったみたい。というより、地元の人にはそんなに珍しい話ではないのかもしれない］

一〇月一七日（木）曇り時々雨　18:15　@Café Phố Cổ（カフェ・フォー・コー）

「cà phê trứng（エッグコーヒー）、Sữa chua cà phê（ヨーグルトコーヒー）でいいですか？エッグコーヒーはベトナム戦争中、新鮮な牛乳が手に入らなかった代わりに、泡立てた卵黄を使ってカプチーノを再現しようとして誕生しました。フランス統治時代に駐在フランス人がどうしてもカプチーノを飲みたいと言ったとかで。生臭いし甘すぎるので苦手な人もいるけれど、私はよく飲みたくなってここへ来ます。初見では見つけられないほど迷路な路地裏に、ひっそり佇む古いフレンチ・チャイニーズ様式のこの建築が、ハノイらしくてお気に入りなんです。米粉のフランスパンのサンドイッチ、Bánh mì（バインミー）もぜひ食べましょう」

奈良にほど近い大阪で、三代続く書家の家に生まれました。祖父は「書くところが光って見えるから、それをなぞるだけでいい」と指導するようなちょっと変わった人でしたが、ぞっとするほど美しい字を書く人でした。母が祖父の書道教室へ働きに出ていたので、幼い頃はいつも留守番で、チラシの裏に画を描いて過ごす時間が多くありました。

祖母は染織をはじめとする工芸に明るい人でした。ここ一〇年くらい、私は祖母の残した古着を染め直したり繕ったりして、いつも着ています。生きている人同士って難しいから、生前、祖母と仲が良かったわけではないのですが、彼女のものを見る目を尊敬しています。彼女のお眼鏡に叶った服たちは、半世紀近く経った今身につけても形がよく、着心地もよいです。身につける瞬間いつも、間違いなく彼女の生の続きを生きていることを意識する。意識できるとなぜか安心する、そういうお守りみたいな衣服です。

〈第二の皮膚〉とも呼ばれる布。染織にまつわる作品を発表すると、女性を代表していると思われがちですが、国によっては男性が織ったり、編み物をする文化ももちろんあります。私自身〈女性〉と呼ばれるといつも違和感を覚えて生きてきたので、染織をしているだけで女性を代表するような気持ちはありません。しかしながら多くの場合、身体的構造やヒエラルキーによって織り手が女性であることの方が多く、時に男尊女卑的史実が織り込まれていることもまた事実だと理解しています。

祖父の母、私にとっての曽祖母は樺太で生まれました。ロシア人と日本人のあいだに生まれ、目が青く、日本人としてのアイデンティティをもって生きた曽祖母だったそうですが、それ以上のことは現在わかっていません。孤児院で育ったらしい、というのもどこまで本当のことなのか。

私の母と叔母は耳が不自由で、ことばが伝わりにくい環境で育ちました。振り返れば、不思議なコミュニケーションで日常を過ごしていたと思います。友人曰く、遠藤さんは単語だけで話しているみたいだったけれど、最近やっと文章らしく話せるようになったね、と。これからも努力はするけれど、自分でも嫌になるほどことばが苦手です。だけど、文字は好きなんです。文字は書かれたものとしてそこに留まって、読まれるのをずっと待っててくれるので。

沖縄から大阪へ戻った後、地元の染織を知りたくて、奈良の注染(ちゅうせん)工場に勤めながら書道教室助手を経て、社会貢献の会社に就職した後に、京都にある染織家志村ふくみさんの芸術学校アルスシムラへ通いました。志村さんと一緒に過ごせたのは、私が妊娠中から出産までの半年間で、志村さんが学校で教えていた最後の時期でした。

化学染料では、既存の色と色をかけ合わせて自分が望む色を作りますが、志村さんは植物が持っている色を引き出せる一番良いタイミングで枝や幹を茹で、糸を染めます。その色は志村さんが決めたわけじゃないということが重要なことのように思います。

桜の木の茹で汁は繊維を桜色に染めるのです。だけど、桜が咲く前に枝を切らなければ桜色にはならない。かわいそうだけど、儚い花の色の代わりに半永久的に糸に色を留めることになる。その時、その状態のものの色を糸に留めておいて、必要なときにその糸を取り出して織るんです。織るときも、色が次の色を決めるそうです。色と相談しあって、次の糸を決める。だから透明感を持って、想像の中に収まる色ではない色に出会える。制作物が時に持ち合わせてしまう残酷さと、予想外のものをちゃんと信じる姿勢に感銘を受け、彼女から多大な影響を受けました。

そして近年は、七〇年代に志村さんに師事していた、沖縄は八重山の西表島の染織家である石垣昭子さん（一九三八〜）にお世話になっています。沖縄の人じゃなくてもやりたい人がやればいいでしょう、こうじゃないといけないなんてことないのよ、と昭子さん。彼女の手から織られるものは伝統だけに留まらず、今ここで生きているというような、環境と時代に寄り添うような柔軟で強（したた）かな布です。

マングローブ林のヤエヤマヒルギは古くから八重山の染織に欠かせない真っ赤な染料なのですが、近年は伐採が禁止されています。しかし、西表島のある一帯のマングローブは石垣夫婦が三〇年前に植えたものですから、自分たちの育てたマングローブでなら染めてもいいのではないか、と彼女は言います。私も、確かにそうだと思います。

彼女に八重山の染織の歴史、戦争の記憶について話してもらったことがあります。薩摩藩による圧力を受け、琉球王朝が八重山に住む一五歳から五〇歳までの全ての住民に課した税金制度、人頭税について。女性ならば上布をひとり頭年間二反も王府に献上せねばならなかった時代。あまりにひっ迫した状況のために、税を取り立てに来た役人の船を村人が奪い、海流を逆行してでも南の未だ見ぬ島に逃走したこともある。しかしながら、人頭税というものが良しにつけ、悪しきにつけ八重山の染織の発展に一役買っている、という見解もある。村人同士が競い、良いものが織れれば誇りになる。創造の喜びすらあったはずだ、と。事実、人頭税が廃止されて間も無く高い技術を有した上布は姿を消したそうです。現在、その技術は地元の人の努力によって復元され、引き継がれている。

　このように工芸には、両義的なものが幾重にも重なっているのです。伝統的であればいいわけでも、技術が高ければいいというわけでもない。王権主義と奴隷制度、アメリカから日本、琉球王朝と八重山へとフラクタルのように続く権力の矢印、取り巻く全ての環境の変化への対応、動植物の弱肉強食と創意工夫。とりわけ布には損傷と修復の痕跡がある。移ろう色。燃えて消えることもできるし、土に還ることもできる。布には〈抵抗と無抵抗〉が共在している、と私は思います。〈共犯的〉と言うと強すぎるかもしれない。

　どうして布を扱うのか、と聞かれれば、私はなんと言えばいいのかわからなくなることが好きだからです、と答えます。布に限ったことではないと言われればそうなのですが、例えば〈text〉を〈ことばによって編まれたもの〉と訳すことができます。さらに〈text〉の語源である〈texere（織る）〉について思いを馳せるとどうでしょうか。抽象的すぎますか？　うまく伝わってるといいのだけど。

あるひとが私のことをこう言った。

志村さんは離婚という媒染によって、染織の仕事をするべく染め揚げられた、と。

離婚が媒染になったという表現は少し妙であるが、言葉をかえれば媒染とは受苦、何らかの苦しみ、痛み、あるいは変動といってもよい。生まれたままの姿でなく、媒染剤によって色が変る、あるいは発色するのである。

——志村ふくみ『色を奏でる』(一九九八年)

一〇月一八日(金)曇りのち晴れ　8:30　@遠藤さんの家

「昨晩は眠れましたか？　午前中は市内を散策しながら、ホアロー収容所へ行きましょう。フランスの植民地統治下に政治犯が、ベトナム戦争時はアメリカ兵が捕虜として収容された場所です。マリー・アントワネットの首を切ったような立派なギロチンと、脱走囚人の抜け穴、飢えを凌いだアーモンドの木も展示されています。中でも私が見入ってしまうのは、女性の囚人が自主的に施した枕の刺繍です。確か、中国の文様らしいフェニックスの刺繍。

それから、少数民族の衣装や生活道具などが展示されている女性博物館も行きましょう。日本にはまだない女性博物館。先進的でありながら、しかしここではベトナム戦争政府軍の女性兵士や女スパイ達の功績、息子を戦争で亡くしたお母さんたちもHeroic Mothersとして勲章を授与され、英雄として称えられています。当時の拙い武器とプロパガンダポスターと共に、彼女たちの顔写真がひとつの空間に並んでいます」

一〇月一八日（金）曇りのち晴れ　13:45　@Cộng CaPhê（コン・カフェ）

［ここはハノイらしいカフェ。若者を中心にスターバックス以上に人気を集め、ベトナム中に店舗を展開しています。ベトコンを彷彿とさせるカーキ色のペンキでフレンチコロニアル建築の黄色い壁を全て塗り潰してある。平日ですが今日も賑わってますね。店員さんが軍服をイメージした制服を着ています。配給制だった戦時中の食事や飲み物を再現したメニューで、内装も当時の写真や伝票を飾っています。〝Cộng CaPhê〟、直訳すると〈共産カフェ〉。壁にはホー・チミン、毛沢東、レーニン、ゲバラの顔写真。今はこれが一番お洒落なんだ、と以前にベトナムの女学生がバイクに乗せて連れてきてくれたんですよ。ベトナム語がアジアの中でも比較的読みやすいことに気がつきましたか？　中国支配下の頃には漢字を、フランスの統治下ではローマ字を、それから独立してホー・チミンが発音記号を加え、現在の書き文字を一般化しました。めまぐるしく母国語が変化するために、彼らは自分たちの国の歴史を読み解けないことを嘆いています。戦争が文化を壊し、同時に文化を作っているなんて、私はもう、なんと言えばいいのかわからなくなります」

『暮しの手帖』創刊者の花森安治は、生活を美しく保つことが一番の反戦であると語っていました。身の回りの生活の美しさを保てば、自ずと戦争はなくなるのではないかと。それは身近な人をいかに大事にできるかと考えることともつながります。だとしても、花森さんのように知らぬ間に、ある一面において戦争に加担してしまうこともある。
ところで戦争って、また同じような形でやってくると思いますか?

陽にたたきのめされた、やせて筋張った貧しい老若男女の群れは草むらに跪いて必死の祈りをあげていた。医者は七万人か一〇万人に一人しかいず、空からいつ榴散弾やナパームがとびこむかしれないのだ。焼ける村をふりかえることもなく子供をつれた農民の女がチョーイヨーイ、チョーイヨーイと号泣しつつ国道をどこへともなく去っていくのを何度私はバスの窓から見送ったことか。二〇年前の母や私が何人となく群集のなかに見つけられそうだった。何と似ていることか。汗の匂い。陽の燦き。何もかもあの年の夏そのままだった。

——開高健『輝ける闇』(一九六八年)

ベトナムには美術や表現に対する政府の厳しい監視があり、海外の本を取り寄せるだけでも検閲があります。アーティストも、政府の圧力でどんどん表現が歪められていく。表現したいことを表向きには隠しながら、間接的に生活のことを描いている作品に、とてもリアリティーを感じます。暗喩、遺伝子、タイムマシン。シュルレアリストが検閲をくぐり抜けるために反戦のモチーフを絵画に忍ばせたこともある。

私は、大きな雑巾でハノイの街を掃除しました。セキュリティーの人に呼び止められると、私は掃除をしているだけだと答えて躱し、その雑巾を絵画として展示しました。でもね、よくいえば検閲をくぐり抜けたとも言えるし、作品の成り立ちそのものが自己検閲だとも言える。


制作の時にはよく〈不時着と撤退戦〉について考えています。不時着と墜落の違いは、着陸時に操縦士の意思があるかどうかです。不慮の事故や不条理に対して意思を持って抵抗できたかどうか。たとえ予想外の島に着陸したとしても命だけは無事であること。また、撤退戦は相手に勝つのではなく絶対に落としたくない城を守るために取られる戦法だと私は解釈しています。負け戦だとしても絶対に侵されたくないものを守るだけの戦い方。このふたつはずっと大事に思っていることばです。偶然、戦争を想起させるようなことばではありますが。いつも不時着と撤退戦を胸に据えて制作しています。

私は布を〈使って、修復すること〉が作品の主要な部分であると考えています。ですので、VOCAからも資生堂からも新作をと言われていたのですが、瞬時に新作じゃないものを出さないといけないと思いました。でも同時に、新作だと言える枠組みも考える必要がある。〈使って修復されるたびに常に新作になり続ける〉というコンセプトの下に作品を提出しました。布は使い続けることで常に変化していきます。ボロボロになってゆくということが、作品として見れば常に新しく、より完璧な状態になっていくことなのだと思いたかった。今が最高の状態であり、それを維持しなければならない、ということの窮屈さ。あらゆる事物が時間と共に損なわれるということを良いことだと思いたい、そんな気持ちがあります。

　反骨精神ばかりあって自分でも困ります。たぶんすごく負けず嫌いだから、不時着と撤退戦なんて考えるのかもしれません。最初から勝っても負けてもいいような戦い方しかしない。芸術は戦争とは対極の存在なんだと思いたいです。でもこれも単に思いたい、というだけのことなのかもしれません。

　工芸の世界はね、歳をとればとるほどに良くなっていく、というような気がしているんです。師匠たちは若くても六五歳から九五歳ですから。生きることは自分ではあまり得意ではない気がしているのですが、そう思えば生きていようかなという気になる。歳をとることが楽しみになる。おばあちゃんになる準備をずっとしているのだと思います。例えばそういう〈逃げ方〉についてばかり考えて生きています。

一〇月二〇日(日)晴れ　10:00　@遠藤さんの家

［昨夜はよかったですね。皆が完璧に英語字幕を読めるわけでもないのに観入って、各々感想を交し合って。集まるといつもみんな大騒ぎして、飛び交うベトナム語の響きがとってもチャーミングで、それだけで私は笑ってしまうんです。何を言ってるのかはわからないのだけれど。

ひとり寡黙な、映画を観ながら優しい笑みを浮かべていたフン・レオくん。彼の作品がとても好きなんです。彼あらゆる場所に黄色いテントを設置して生活する記録を撮っています。山にあるゴミで遊んだり、全く役に立たなそうな道具を作ったり。だけど、彼は役に立つ、と言う。だってここがこんな風に回転して面白いでしょう、と。

彼の服装はいつも質素です。それが、彼の生活が貧しいのか、ハノイ的なる美徳のふるまいなのか判然としません。ホー・チミンは簡素な服装と生活様式でもってこの国を統治しました。資本主義的なるものは全くクールではない、と、そんな空気を同世代のアーティストたち同士が共有している気がする。日本よりも、より顕著に。

夕方の便で少数民族の住む山へ向かうので、空港まで私も同じタクシーに乗りますね。今日一緒に山へ行く仲間が昨晩の天丼を食べ損ねたって言うから、昨日揚げた海老の天ぷらの残りで天むすを作ってあげようかなと思って。なんだかやることが多くって、いつも切れ切れになって悪いのだけど、お弁当を作ってから最後のインタビューでもいいですか？」

普段は、大阪に本社があるリサイクル会社のCSR（社会的貢献）推進室の社員としてハノイに駐在しながら制作活動をしています。近年、CSRのひとつとして、ベトナムの少数民族の村などで芭蕉布復興プロジェクトを立ち上げました。嘉手納基地弾薬庫内で使用が黙認された耕作地にてバナナを育て、バナナの木の布（芭蕉布）を織っている染織工房バナナネシアの福島泰宏さんと一緒に世界各地をまわっています。〈復興＝正しいこと〉ではない、という前提をチームで共有しています。復興を望む人たちに技術を伝えながら、植物分布とそれに依存する染織の関係性から〈境界線〉を引き直すようなリサーチが目的です。まわっているうちに、芭蕉布で船の帆を作って海に出てみようということになり、作品制作の計画を進めています。仕事も作品も関係し合っていますが、仕事と作品は分けて考えています。

今年度、私の布の作品の幾つかが愛知県美術館のコレクションに入ることになりました。そのうちのひとつは先ほど紹介した、雑巾として何度も使い続けたい布の作品です。同じ状態を保持しない、ということは美術館の収蔵と保存の原則に反しています。そこで、私は美術館にある提案をしました。この雑巾の作品は実際に美術館の人に使用してもらい、洗って干して保存することを繰り返してほしいこと。そのサイクルの中で布が損傷していく状態が許容されるなら是非所蔵してください、と。そうしたら、その提案を飲んで対応をして下さるということになり、驚きました。後から聞いたら、前例のないことで、何度も会議を重ねて収蔵を決定して下さったそうです。そのことが何より嬉しかったです。作品のことを考えて下さって、話し合いの末に前例を覆して下さったなんて。

担当者曰く「美術館として、作品の状態を一定に保つという考え方は変わらない。ただ、この作品で一定に保つべきは、現状の布の状態や色ではなく、布が雑巾として機能するという状態そのものだ。だから、仮に使うことをやめてしまえば、それこそがこの作品の状態を変化させてしまうことになる」とのこと。作品存在そのものに絶対的な何かを見いだすこと、多様な在り方を許容する姿勢がアートの定義にすでに備わっているのだろうな、と。工芸の世界で形式に弾かれていた私にとって、アートとはある種の救いのような存在です。

戦争を描く行為はとても重要だと思います。だけど、ジャーナリスティックな作品を作ってお金をもらい続けていたら、時事的な問題が起こったときに喜んでしまいかねない自分に耐えられなくなるんじゃないかと考えることがあります。考えすぎかもしれないけれど。どうやったらいつまでも健全に生きていけるかばかり気になっています。作品を作っている間に、いつの間にか戦争的なるものに加担する側に立ってしまうということもあるのかもしれない。

青森にて、御歳九五歳になる沢田サタさん（一九二五〜）に会ってお話を伺いました。サタさんは戦場カメラマンの沢田教一さん（一九三六〜一九七〇）の奥さんで、一九五五年に青森の三沢米軍基地のカメラ店で働いたのち、一九六五年に教一さんと一緒にベトナムに同行した人物です。彼女は青森空襲も、ベトナム戦争の戦火も目撃していて、爆弾が花火みたいだったと話してくれました。そういえば、沖縄の石垣昭子さんも沖縄戦の爆弾のことを花火みたいだったとおっしゃっていました。南でも北でも、花火みたいだった、と。

教一さんは、戦争の記録写真を芸術的に撮ることにこだわっていました。若くしてピュリッツァー賞を受賞、さらに危険な地へと赴き、三四歳で殉職しました。戦争の悲惨さを伝えるためだけの写真であるにもかかわらず芸術性が伴う必要があって、人々は物語としてそれを受け取る。自らの死を顧みないなんて作家としての業が深いといえば業が深いのですが、作品が生まれる瞬間というのはそういうものだとすら思えてなりません。残されたサタさんはインタビューの中でなんども「良しにつけ悪しきにつけ」、それから「慣れることと忘れること」と、繰り返しおしゃっていました。「私は良しにつけ悪しきにつけ、すぐに慣れて、忘れてしまうから」と。

戦争を教えるにしても、私自身が戦争を知らない。
その本当の姿をわからせるのは、戦場の写真だけなのだ

――沢田教一『戦場カメラマン　沢田教一の眼』
（二〇一五年、編集・斎藤光政／協力・沢田サタ）

青森ではね、八甲田山で遭難した軍人たちのことを思っていました。資料館に行くと、天皇が遭難した雪中行軍の文様を刺繍した布団で彼らの死を偲んで眠ったと説明されていました。その文様の生々しさと、その布団とともに偲んで過ごす天皇の、嘘みたいに真摯で滑稽な行為に思わず笑ってしまったんですよ。面白いと思ってしまった。

沖縄の石垣島ではね、三代以上続く鍛冶屋を訪ねてみました。作業場の脇に鉄の破片が落ちているからこれは何かと尋ねると、爆弾の破片だよ、と返事が返ってくる。お爺（じい）お婆（ばあ）が家の床下に集めた爆弾をつい最近も持ってくるんだ。この鉄くずを叩いて畑道具をこさえてくれってさ、驚いたよねえ、と。

八重山の最南端の小さな島、波照間島ではね、八八歳前後の人に聞き取りをしてまわりました。戦時中は毒性の強い植物、ソテツを食べて飢えを凌いだんです。そこでソテツのことを尋ねてみたらみんな示し合わせたみたいに、あれは美味しかったね、また食べたいね、とにっこり笑って話すから、聞いてる私たちもなんだかおかしくなって。

そういえば、私が二〇歳だった頃、大学もろくに行かずに夜の那覇のクラブで大きな絵を描いていました。米兵がやってきて、その絵を売ってくれないか、と。絵を売るのは初めてのことなので嬉しくてその場で快諾しました。ビールまで奢ってくれた彼は、明日から戦地だからさ、これが最後の夜だよと言いました。私はそれが本当なのか嘘なのかわからなかったのだけど、でも彼が笑ってそういうから、お互いのビール瓶をぶつけ合って、何かに乾杯したんです。本当は、泣いても怒ってもよかったんですけど、ふたりとも笑って乾杯しました。

悲しい話のはずなのに、どうして私、笑ってしまったんでしょうね。

戦争体験者の証言記録も戦争映画も小説もたくさん存在するにもかかわらず、なぜ戦争は終わらないのでしょうか。

私たちの世代は戦争そのものを立体的に感じることが困難です。それは戦争以前に、現代史を知らないことと同義だと思います。現代史を十分に知らないと作品が効力をもちえない。戦争の物語を単なるカタルシスとして享受してしまうこともある。私たちが物語の本質を解読するためのキーを持ち合わせていない状況に、課題があるのかもしれない。

もしかすると〈戦争〉はいつも同じ形で始まるとは限らないのではないでしょうか。いくら予習していても、気づいた頃に戦争の中に立ってしまっているのかもしれない。私が知らぬ間に自己検閲を内面化しながら作品を作ってしまった時のように、無自覚に、己の保身のために、良かれと思っては悪手を打ち続ける。

これから起こり得る戦争は全く別の、爆弾でも核でもない、目には見えない戦争なのではないかと思えてならないのです。私たちが今後一切〈戦争〉に加担しないなんてこと、果たして可能なのでしょうか。

まるで、だれかに命令されたように、みんながみんな、おなじような服を着ている。それが、どぶねずみ色なのだ。……なにも会社や役所できめたわけでもあるまいし、タダでくれたものでもあるまいに、兵隊服みたいに、ぴったり規格に合って、着方までそろっている。……古い言葉で言えば、さしづめ、バッカじゃなかろうか、である

——花森安治『暮しの手帖』（1世紀90号、一九六七年）／2世紀43号（一九七六年）

私、自分の憲法を作ることにしたんです。自分だけの憲法です。それを守るために法律を作る。その憲法というのがね、〈第一条、知ること〉。今のところはまだこれだけで十分な気がしてるんです。というより、これだけにしておきたい。

そうですね、真面目そうで正しそうなことを言おうと思えば言えるのかもしれない。だけど私は、そういうことが難しくてどうもかなわないです。ここまで話してゆく中で、私はずっと矛盾し続けている自覚があるのです。もしかしたら、作品を作ることもすでに〈或る戦争〉の渦中なのかもしれません。変なことを話していると思います。私には〈戦争〉が何か、もうわからなくなってきているのです。

今日はここで、おしまいにしませんか。

一〇月二三日　英国エセックス州の港でトラックの冷凍コンテナから密航者三九人の遺体が発見された。やがて犠牲者は全員ベトナム人であることが明らかになった。二六歳のファム・ティ・チャ・ミさんは、密航支援業者に約四三〇万円を支払い、命がけで家計を助けようとした。日本へも三年間出稼ぎに来ていたという。日本で天丼を食べた日もあっただろうか。コンテナの中から携帯でベトナムにいる家族へ送った最後のメッセージは「お母さん、ごめんなさい。私の渡航は失敗です。息ができなくて死にそう」だった。

一一月一五日　渋谷で開催された遠藤さんのトークイベントに参加した。遠藤さんはコン

テナ事件と、ある若いベトナム人アーティストの話をした。普段からあまり周囲とコミュニケーションをとらないらしい彼は、最近登壇予定だったトークイベントに姿を見せなかった。代わりに、彼はひとつの氷の塊と新聞紙を会場に置いた。新聞紙の「尋ね人」の欄には、彼の名前と写真があったという。

その話の後に、遠藤さんは二枚の写真をスクリーンに並べて写した。一枚は最近食べたもんじゃ焼きの写真。もう一枚は、もんじゃを食べた後に撮影された、もんじゃによく似たものだった。「これがことばになることができなかった、私の大事なゲロだと思うんです」

遠藤さんは一時帰国中に受けた取材で、記者にその事件とアーティストの振る舞いの〈共犯関係〉について話そうとしたが途中で話せなくなって、帰り道の駅構内で、二枚目の写真が撮られることになったと言った。

「でも、そうでなきゃという気もします。全てがことばになってしまっても、困るような気がするのです」

※この章に挿入された引用は、編著者・大川史織の選定による。

旅の記憶

ベトナム社会主義共和国・ハノイ

二〇一九年一〇月一九日

「マミー」と呼ぶ声が近づいてくる。おむつから伸びる長い脚を力いっぱい持ち上げ、前に伸ばした両手でバランスをとりながら、遠藤さんの息子げんごくんがリビングへやってきた。マミーは朝ご飯の支度中。蓮の葉で包んだおこわ、蚕の糞茶、青いマンゴーとパッションフルーツが長テーブルに並ぶ。隣の家がおこわやで、いつも出荷前のできたてを売ってもらうのだそう。鶏出汁で炊いたもち米、フライドオニオン、鶏肉を包んだ、蒸し立ての蓮の香りを身体に吸い込む。朝から祝祭だ。

今夜のホームパーティーで作る天井の海老を買いに、遠藤さんと歩いて近くの市場へ。ビニールシートが垂れ下がるトタン屋根の隙間から、雲ひとつない青空がのぞく。なんだかここは見覚えがある。もしかしてと遠藤さんに訊ねてみると、先月の展覧会の映像で見た、遠藤さんが大きな古布を両手で引きずり、掃除という建前で作品《Uesu（Waste）》を制作していた場所のひとつだ。所狭しと並ぶ色とりどりの野菜や魚介類の中から海老を見つけると、日本語で話す調子と変わらない、耳に心地よいベトナム語で、遠藤さんはお店の人と喧嘩をはじめた（！）のかと思ったら「高いよ～」と日本語で悲鳴をあげている。お店の女性は顔色を変えず、勢いよく喋り続けながら片手で大きな海老を掴み、秤に載せる。その光景をじっと眺めていた隣の店の女性も詰め寄ってきた。客の取り合いをしているように見えたが、遠藤さん曰く、彼女たちは結託している。ひとりで来ればよかった……観光客に見えるわたしと一緒にいたから足元を見られたかもしれないと悔しがる遠藤さんの背中が、行きより小さく見える。小走りで追いかけながら、ハノイ三日目にして生活者を装っていた思い上がりの芽をこっそり摘んだ。

夕方まで遠藤さんは仕事へ、わたしは軍事歴史博物館へ。赤と黄のベトナムの国旗がはためく塔に登り、敷地内に並ぶ実際に使われた戦闘機や戦車、大砲を一望する。ディエンビエンフーの戦いを再現した大きなジオラマを見ていると、昼休みは館内から出るようにと閉め出された。遠藤さんお勧めの染織店で、藍染のワンピースとアオザイを購入する。

昼下がり、路上の屋台でレモングラス鍋と高菜炒飯を食べる。ここ二日街を歩きながら、地元の人たちがプラスチックの低い椅子に腰掛けて、鍋をつつく姿を指をくわえて見ていた。牛肉、キノコ、ハーブがどっさりとプレートに載っている。どの店でも食べ放題の緑野菜を毎日もりもり食べているからか、体調はとてもよい。鍋と排気ガスの煙にむせながら顔を上げると、なんと店員の女性の服が、二カ月前にわたしがマーシャルで買ったヌクグアム（通気性の良い布地のゆったりとしたワンピース）とまったく同じ柄だ。ベトナムとマーシャルが布で結ばれた。「チョーイヨーイ」（「すみません」）と店員の女性に声をかけ、記念に一緒に写真を撮る。

道路を挟んだ向かい側の路上では、自転車の花屋が荷台に溢れんばかりの花を積んでいる。原付バイクの後ろに子どもを乗せた男性が、抱えるのがやっとな大きさの赤と黄の薔薇の花束を買って帰る。歩道の脇では、道路をまな板代わりに野菜を切っている人がいる。ベビーカーには赤ちゃんの代わりに果物や乾物が乗り、八百屋と化している。路上で野菜や花を売り買いする人にすれ違うたび、ひとびとの生活が、顔が、見えることに安心する。ベトナム戦争で、米軍は見えない相手を見えるようにするため、枯葉剤を散布した。「ベトナム人の目は釣り上がって黄色い」と、米軍の海兵隊員は訓練で教え込まれた。徹底した農村破壊、民間人の犠牲には、そうした軍の洗脳教育があった。枯葉剤の影響か、両足に不自由を抱えた男性が腕の力で這うように、路上を通り過ぎる。向かい合うように座っていた女性と目が合うと、彼女は食べていた蒸し芋を分けてくれた。「ベトナムは好き?」と聞かれたので、ふたつ返事で好きだと答えると、彼女は納得したように頷いて立ち去った。

長い散歩から戻り、パーティーの準備。ベトナムの同世代のアーティスト六人と、日本から作品制作のためハノイに滞在している百瀬文さんと進藤冬華さん、遠藤さんの英語教師でアメリカ人のダニエルさんが来てくれた。キッチンでコンロを囲み、天ぷらを揚げながら自己紹介。みんなお腹が空いていたのか、丼になる前に、揚げたそばから天ぷらを口にしている。ナスとレンコンが人気だ。

さっきまで賑やかだった部屋が、しんと静まり返る。時刻は二〇時半、警察が来ないことを祈りながらスクリーンを見つめる。エアコンが壊れてしまい、窓を開けていた。外から聴こえる鈴虫の音色が、マーシャル人が歌う声と響き合う。みんなで作って食べたばかりの天丼を、勉さんが美味しそうに食べている。日記の文字が映った場面で、ベトナムの女の子が携帯で写真を撮った。彼女はその後も日記が映ると、夢中で撮影していた。暗闇の中、げんごくんが瞼をこすりながらマミーを探しにやってくる。冨五郎さんがマーシャルから想った「勉君」も、ちょうどこのくらいの歳だった。

わたしたちは時間を忘れて、話し込んだ。「枯葉剤を使った米兵も同じ人間なんだ。佐藤冨五郎さんを米兵に、マーシャルをベトナムに置き換えて観たら、そう思えた」という、ベトナムの女の子のことばが深く印象に残った。「葬式でベトナム人はもっと泣いて、大げさに哀しみを表現する」という話から、死生観の違いや死後の世界について盛り上がり、気がつくと日付が回っていた。身振り手振りを交えながら「ベトナム人はとてもスピリチュアルなの」という意味を、ことばを尽くして伝えようとしてくれた。ベトナム人が信じる死後の世界は、地球上にある。でも、生きている人には見えない。日本のお盆みたいに、死者が帰ってくる月がある。親族のシャーマンは夢で死者と話せる、と言った女の子は「私はそれを信じないけど」と笑った。

BIA HƠI HÀ NỘI
QUÁN THỦY ĐẠT

旅の記憶

韓国・済州島

二〇一九年一一月一日

韓国の最南端、済州島にある済州大学・平和研究所からメールが届いたのは、金木犀が薫る頃。一一月に開かれる国際シンポジウムへの招待だった。『タリナイ』の上映と対話プログラムを企画してくださった済州大の趙誠倫先生は、南洋群島に配属された朝鮮人軍属について研究している。朝鮮人軍属の動員と配置、体験は明らかになっていないことが多く、韓国でも忘れられた存在だ。一年前、マーシャル諸島のミリ島とウォッチェ環礁（どちらも補給が絶たれ、飢えと闘った島）へ配属されたふたりの朝鮮人元軍属の回顧録をもとに趙先生が発表された論文を読み、日本でお会いする機会を得ていた。ところが、その後日韓関係は最悪といわれる情勢を迎え、八月末に上映会で訪れた対馬はいつもの夏だったら韓国人観光客で賑わうところ、閑古鳥が鳴いていた。飛行機も続々と運休になる中、わたしは済州島へ向かった。空港であたたかく出迎えてくれた済州大学の高誠晩先生は、翌朝わたしが食べたいと言った전복죽（チョンボッチュク）（あわびのおかゆ）をご馳走してくださった。程よい塩加減で、ごま油が香ばしい味を引き立てる。先生の心遣いも身にしみた。

　会場の受付で、プログラムの冊子と済州島特産のみかんを受け取る。小ぶりで甘さも酸味もちょうどよい。いっぽう冊子は一〇〇ページを超える立派なもので、昨夜刷り上がったばかりだという。ステージ上に「태평양 전쟁의 기억과 평화의 길（太平洋戦争の記憶と平和への道）」と書かれた横断幕が上がる。客席からその様子を眺めながら、ウォッチェ島で日本軍が作ったコンクリートの壁に、漢字とハングルで書かれた「ウォッツゼ記念」と題された詩を初めて目にした時の気持ちを思い出す。きっと映画を完成させ、いつかこの詩を書いた人たちの故郷で上映し

たい。そう願った夢が、叶おうとしている。

上映は昼食後、眠気に襲われる時間だ。韓国語字幕を用意できていたら良かったと思う気持ちが今更込み上げてくる。縦長の会場はスクリーンと客席に距離があり、没入感が生まれにくい。にもかかわらず、画面を見つめる人たちの表情、漏れ聞こえる笑い声、全体の雰囲気から、ことばの壁を軽やかに越えていると感じられた。まるで撮影した場に居合わせているかのように、画面の中のマーシャル人と日本人の息づかいが、客席にも伝わっている。カメラを回しながら可笑しみを感じたり、答えにくい問いを受けてことばにつまる感覚まで共有できている。三年前の、撮影中の些細な記憶が色鮮やかに蘇る。

上映後、スクリーンに劇中の詩「ウォッゼ記念」を撮影した写真を映しながら、趙先生と対話をした。達筆で大きく書かれた一二行の詩は、天井からの雨漏りで最後の四行ほど文字が消えてしまっている。一六〇センチ弱のわたしが手を伸ばしても届かない高さから腰のあたりまで、横はその倍ある。書き残した月日の文字も消えかかっていた。三カ月前に肉眼で見ても判読が難しかったが、一九九一年にフォト・ジャーナリストの島田興生さんが撮影された写真で特定できた。「昭和二十年十一月十日」。戦争が終わると、先に日本出身者が帰った。朝鮮半島出身者がようやく帰還船に乗れたのは、一一月末以降だった。七四年前に書かれた文字を、同じ月に作者の祖国で読む。さらに一年前の一一月二日の佐藤冨五郎日記には、朝鮮半島出身者が登場する。

（カンゴクノ）カンシノ様ナヤク目デアッタ
此の島に六・七十名ノシセツ部の軍夫ガ住デ居ル

「施設部の軍夫」とは、朝鮮人軍属を指す。ウォッチェ環礁には約六〇〇人の朝鮮人軍属が派遣され、そのうち五八人は済州島出身者、帰還できたのは二六人だけといわれている。もしかしたら、そのうちのひとりが書いた詩かもしれない。

懇親会の後、クラフト・ビールのお店へと流れ、日韓の歴史教育について先生たちと意見を交わした。まじめな話が続くと、寄り添うように手を伸ばし건배（コンベ）（乾杯）のグラスを鳴らす。「いつ戦争が再開してもおかしくない。心の準備はできている」と頷きあう先生たちと、その晩、数えきれぬ건배をして別れた。韓国で太平洋戦争の記憶をテーマに南洋について考えるシンポジウムが開催されたのは、この日が初めてだった。

翌日、午後の便で帰る前に、沈在昱先生が済州4・3公園へ連れて行ってくれた。沈先生は旧海軍軍属身上調査票について研究している。一九六五年に日韓協定が結ばれて以降、日本から韓国へ四八万人分の名簿や企業名簿が渡ったが、日本側は元になった資料を明らかにしておらず、名簿作成者も他界していることから、不明な点が多いという。「日本政府と一緒に調査をできたらいいけれど、それは絶対無理だね」と昨夜の打ち上げでも通訳をしてくれた松井愛理さんを介して沈先生の胸の内を知る。愛理さんは「困ったことありませんか？　通訳しますよ」と、会場ですれ違うたびに声をかけてくれたので、てっきり運営スタッフの学生と勘違いしていたが、学内のポスターを見て興味を持ち、参加していた。愛理さんの祖父母は済州出身の在日コリアンで、戦前に済州から大阪へやってきて、戦後済州に帰った後、密航船で再び大阪に戻ってきたという。大学で朝鮮近現代史を学ぶ中で「なぜ祖父母は済州から大阪に戻ってきたのか」という謎を解くヒントが、済州島四・三事件にあるのではと考え始め、神戸の大学から一年間、交換留学で来ていると教えてくれた。四・三事件の名称で授業が開講されているのは、韓国の中でも済州大学だけと聞く。沈先生も済州に来て初めて四・三事件を知ったというほど、この島で起きたことは朝鮮半島の歴史として語られ始めたばかりだ。公園内にある博物館の展示の複雑さ、展示内容の変更をめぐる事件の数々、四月三日の日付を巡っても幾多の論議があったことを聞きながら、見えない数多の衝突と断念が、今や新婚旅行の聖地となった島で起きていたことに想いを巡らせる。

平和公園には無数の慰霊碑が並んでいた。名前の横に、享年、性別、死亡日時が刻まれている。日付未詳、行方不明も多い。ところどころ、刻印された名前と情報が消された形跡がある。一度は「犠牲者」として慰霊碑に刻まれながら消されてしまった人々について、愛理さんが沈先生に質問をしたちょうどそのとき、韓国語を話すふたり連れがそばを通った。「今その話をするのはやめたほうがいい」と言った後、沈先生は足早にその場を離れ、こう続けた。「この場所を、どんな想いで訪れている人がいるかわからない」。

TERAO Saho

5.

ニーナたち、マリヤンたちの《コイシイワ》

寺尾紗穂

二〇二〇年一月一〇日　横浜山手「えの木てい」

パラオ

「言葉が一番幸せになったかたち、それが音楽なんだよ」

八〇〇ページに及ぶ『大林宣彦の映画談義大全――《転校生》読本』(角川学芸出版、二〇〇八年)に、このことばはそっと綴じられている。二〇〇七年、大林宣彦監督は、ふるさと尾道を舞台に作った映画『転校生』を二五年ぶりに、まったく新しい作品としてリメイクした。『転校生　さよなら あなた』が全編音楽物語となったのは、寺尾紗穂さんの《さよならの歌》に出合ったからだ。主題歌として楽曲を提供した寺尾さんは、当時二五歳。奇しくも『転校生』が誕生した年に生まれていた。

大林宣彦監督が寺尾さんに初めて会った日、にっこりとかけたことばを、まもなく二五歳になる読者としてわたしも読んだ。二〇一三年、マジュロ島で、停電の夜に。暗闇の中、ひとり過ごす夜は静かで長い。波や風の音がいつもより大きく聴こえる。そんな夜長に、蝋燭を読書灯に『《転校生》読本』をめくった。

三年後、帰国してたまたま入った本屋で気になるタイトルの本を見つけた。『南洋と私』寺尾紗穂――あの寺尾さん?

日本で南洋と個人的な関係を結んでいる人は、そう多くない。でも、プロフィールに《さよならの歌》を楽曲提供したとある。南洋の島でも聴いた《さよならの歌》の旋律と、大林監督のことばが頭の中を駆けめぐる。この本の「南洋」にマーシャルも含まれているのだろうか。目次の後ろにある地図に、「ヤルート（ジャルート）島」の文字がある。マーシャルとわたしを結んだ歌《コイシイワ》に出合った島だ。いつもはレジでお願いするブックカバーを断った。そんな大したことない時間さえ惜しむくらい、いち早く帰宅して本を読みたい気持ちを抑えることができなかった。

初めて寺尾さんのコンサートに行ったのは、それから二年後の二〇一八年二月二四日だった。その日は祖父の誕生日で、曽祖父の戦死日でもあったから、日付も正確に覚えている。一曲ごとに、生まれ変わったような気持ちで演奏を聴いた体験は初めてだった。終演後も余韻がつづき、用意していたことばはその場で何も伝えられなかったが、わたしが初めて作ろうとしていた本に寄稿いただけると後日寺尾さんからメールが届いた。一番幸せなかたちで、寺尾さんと出会えたような気がした。そしてまた、二冊目の本でもお話をうかがえることになった。

そんな未来が待っているとは、停電の闇からは想像もできなかった。

パラオと日本、二〇〇〇年と二〇〇〇のことば

寺尾　なんか今日は印象が違う（笑）。

大川　ライブ後はいつも泣いているので（笑）、ちゃんとご挨拶もできず申し訳ありません。しっかりとお話しさせていただくのは今日が初めてで、とてもうれしいです。
　まずは刊行されたばかりの『パラオ・日本外交関係樹立25周年記念誌』（駐日パラオ共和国大使館、二〇一九年）のお話から伺えたらと思います。

寺尾　五月頃、フランシス・マツタロウ駐日パラオ大使から執筆依頼の電話がありました。『あのころのパラオをさがして』（集英社、二〇一七年）を書いた後だったので、大使が読んで声をかけてくれたのかなと思ったら、そういう話ではなかったんですけれども（笑）、とにかく若い人に書いてもらいたかったようで、八月にパラオへ取材に行かせて下さいと言って、執筆を担当することになりました。

大川　記念誌一〇〇〇部の制作資金をクラウドファンディングで集めるというのは、す

でに決まっていたのですか？

寺尾　はい、決まっていました。パラオ大使館もそこまではお金がないということで、制作費を賄うことができればという話で。実際、二六〇万円程集まりました。

大川　五月に依頼があり、八月に取材をして、一二月に刊行とはなかなかハードなスケジュールでしたね。

寺尾　そうですね。八月に四泊五日でパラオ取材をして、帰国後の二カ月で仕上げていった感じですね。

大川　今回は何度目の訪問でしたか？

寺尾　三回目でした。初めてパラオへ行ったのが二〇一六年一月で、四カ月後に再訪して『あのころのパラオをさがして』を出版しました。今回は通訳の人がコーディネートを兼ねていたので、会ってみたい人を何人か挙げて、いろいろなところへ連れていってもらいました。

大川　パラオも日本の委任統治時代に多くの日本人が移住していたので、パラオ語の中に残された日本語がたくさんありますね。

寺尾　そうですね。パラオ語には日本語からの借用語が二〇〇〇以上あるといわれています。パラオはコロール島に南洋庁の本庁が置かれていたので、今でも裁判所で裁判官が判決を下す時は、「hangkets iwatas（判決を言い渡す）」と言うようです。日常的な会話で使うフレーズや食品のことばも多く残っていますが、司法関係のことばもわりとそのまま残っていると聞きました。

大川　二〇〇〇以上もあるのですね。パラオでも人気の「ヤキュウ」（野球）は、マーシャルでも「ヤキュウ」として親しまれています。毎年、憲法記念日を祝うイベントで、出身環礁のチーム対抗試合が行われます。「ゴロ」など試合用語にも日本語が残っていますが、もともと勝敗を表すマーシャル語はないので、英語の「win」と「lose」が勝敗を表すことばとして使われています。

寺尾　記念誌は英語併記で書いてあるので、パラオの人が読んでもわかるようにしています。そのため、駐日パラオ大使館と在パラオ日本大使館の双方に原稿をチェックしてもらいながら制作を進めていきました。

大川　それは大変でしたね。二〇〇年以上日本とつながりがあるパラオの歴史と現在をいろんな角度から知ることができて、パラオへ行ってみたくなりました。

寺尾　写真ベースという話になり、予定より書く分量はだいぶ削られたのですが、取材へ行かせてもらえたことはすごくよかったです。通訳の方も沖縄にルーツのあるパラオ人で日本で育っていて、その狭間で感じていることなども聞くことができて考えさせられることが多かったです。

『タリナイ』への感想

大川　同世代で、南洋と繋がりがある寺尾さんから、映画『タリナイ』のコメントをいただきとても光栄でした。

「南島の戦場で餓死した父親。その足跡を辿る一人の男を追った作品でありながら映画全体

に希望の風が吹いているのは、現地で生き、現地の人びとと繋がる日本の若者たちが男と出会ったためだ。まったく新しい慰霊ドキュメンタリー。ちょっと奇跡的な映画だと思う」

寺尾　戦争のドキュメンタリーで、同じように父親の世代を追う作品は他にもあると思います。ただ、撮っている人も中年以上で、映り込んでくる人も当事者や家族だけというのが多い印象ですが、『タリナイ』は監督、コーディネーターの女性、通訳の男性もみんな若い。そして歌もある、というのは他にないんじゃないかな。
過去のことを描こうとしているけれども、結果的にすごく現在が映り込んでいて、だから若い人が見ても遠く感じない。それがとても重要なことなんじゃないかなと思います。

大川　ありがとうございます。寺尾さんが集中講義をされた九州大学の授業でも上映していただきました。反応はいかがでしたか。

寺尾　映画を観た後の感想をいくつか共有しますね。
「マーシャルの海は佐藤さんのお父さんの目には戦争が終わって食べ物がなくて空腹の中でもあんなにきれいに映っていたんだろうか？　気持ちや感覚を想像することはお父さんにな

らない限りわからない気がします。でも勉さんや大川さんの目を通して、私や誰かの中に入ってくる。会話や関係や時間の積み重ねが、少ないクッションで伝わってくるというのがとても大事なことのような気がします」

「日本からいった佐藤勉さん（日本語）とマーシャルに住んでいる子供達（現地語）が一緒に七〇年前の第二次世界大戦のことを語っている場面が、過去と未来と、彼岸と此岸、日本語とマーシャル語との間で「どこでもない場所（ユートピア）」が出来上がっているかのようでした」

ふたつめのコメントは、授業に呼んでくださった先生の感想。

大川　とてもうれしいです。観る人のバックグラウンドや観るタイミング、場所などによって、いろんな見方ができるのだと感想をもらうたびに発見があります。

わたしはサイパンやパラオへ行ったことがないのですが、映画を通して見るマーシャルの人たちはどう映りましたか？

寺尾　映像で見た限りなので何とも言えませんが、強いて言えば、パラオにはきちんとした空港があり、観光客も多いので、マーシャルに比べると店やホテルも多いですよね。日本兵から逃げて隣の島まで自力で渡ったとか、マーシャルの人たちの痛みの部分も映っていましたね。

大川　マーシャルのシーンは、二〇一六年四月に勉さんと旅をしながら撮影した映像だけで編集しました。お父さんが日記に書いた足跡を勉さんと一緒に辿ったことで、二週間と短い時間でありながら、マーシャルの人たちも心を開いて話をしてくれたように思います。その前に二〇一一年から三年間首都のマジュロで暮らしていましたが、日常の中でふっと現れるマーシャルの人たちの気持ちに触れると、三年ほど暮らしただけではマーシャルの人たちを描く映画は作れないなと思いました。

島の人々の気持ち

寺尾　「日常の中でふっと現れる気持ち」というのは、たとえばどういうところで？

大川　日本の食品や船外機を輸入販売する日系企業で経理として働いていましたが、接客中に「日本の委任統治時代におばあちゃんが森永のミルクキャラメルを「チョコレート」と呼んでよく食べていた」とか「お父さんは日本人が食べていた味噌汁がとても好きだった」など、日本食を通して、その時代を日常として生きた人々の記憶が浮かび上がることがありました。マーシャル人の心遣いにも感じましたが、わたしが日本人とわかると、自分が知っている日本語や日本とつながる話をよくしてくれました。

寺尾　日本の統治時代や戦争の話に触れにくい雰囲気はなかったですか?

大川　マーシャルの人はある程度親しくなっても、なかなか内に秘めた想いや相手が居心地が悪いと感じるかもしれない話を面と向かって言いません。関係ができると、「おじいちゃんは流暢に日本語を喋れたから、スパイ嫌疑をかけられて殺された」とか「戦争中食べ物がなくなると、日本兵は朝鮮人や島民を殺すことで生き延びようとした。日本兵が近づいて来ると、殺されて食べられないようにアルコールを飲んで死んだふりをした」など、言いにくい話もこちらから訊くと話してくれました。でも語り方はいつも淡々としていて、さらっと風のように話をして終わってしまう。

寺尾　そういう意味では、私が知り合ったニーナさん(『あのころのパラオをさがして』参照)も、最初はただの日本好きのおばあちゃんにしか見えなかった。日本時代がどんなに良かったかを話してくれるけれど、何度か会いに行くと底の方にある話が出てくる。パラオでの証言や、博物館での展示などをよく見ていくと、パラオでも身近な人が殺されたり、暴力を受けた人がいることが分かるのですが、少数派なのでかえって言いにくい気がします。

それにパラオは人口が多かったので、マーシャルのほうがひとりの体験がより共有されやすいということもあるかもしれません。パラオはコロール島に日本人と島民の一部が住んでいて、戦争中はパラオ本島（バベルダオブ島）に日本人も移っていきました。どのあたりにいたかでも経験がずいぶん違っています。

大川　島が自分たちのいのちそのものであるという感覚が失われていくことで、歴史語りも変わっていくように感じます。マーシャルはすべての土地が私有地で、母系親族が継承し、土地を管理する地権者がいます。しかし、近年は所有者の死後、所有権も含めて土地が外国人に売られていたことが発覚して裁判になるケースも多いようです。マーシャルの伝統的な土地制度が資本主義に飲み込まれている。パラオはどうですか？

寺尾　パラオでも土地の売却は進んでいるようです。

大川　マーシャルでは結婚すると、男性が女性の土地に移り住んで暮らします。そのため男性が移り住んだ土地の歴史を語ることは、その土地の出身者からするとやや抵抗を感じることもあるようです。また、年長者が語れるうちは、年長者の声に耳を傾ける。自分や他の人が知っている話でも、年長者が亡くなってから話をすると聞いたこともあります。

寺尾　面白いですね。年長者の語りが優先されるというのは、とても重要な意味がある気がします。日本の政治家も戦争を振り返る時、そういう態度を見習ってもらえたらいいのですが……。初めてマーシャルを訪れたのはいつですか？

大川　二〇〇七年です。南洋庁のヤルート支庁があったジャルート環礁で《コイシイワ》という現地で作られた日本語の歌を聴きました。その歌に惹かれて、マーシャルを知りたいという想いが大きくなっていきました。

歴史のなかの日常を歌う

コイシイワ　アナタハ
イナイトワタシ　サビシイワ

ハナレル　トオイトコロ
ワタシノオモイ　タタレテ

大川　このあと続く二番はマーシャル語の歌詞ですが、内容は日本語とほぼ同じです。中島敦がパラオで出会ったマリヤンは、別れたあと中島敦に何度も手紙を書きました。外国語として習った日本語で、もう二度と会えない日本人のアナタを想ってマーシャルの女性が歌う《コイシイワ》に近いものを感じます。

寺尾　植民者だった日本人が去っていったことから生まれた歌は、パラオにもあります。ニーナさんも、いずれ日本へ帰っていく人に恋をしました。短い関係だったかもしれないけれども、そこで人間と人間の関係が生まれたことが大切なことかなと思います。
　歴史の中でそんなに注目される話でもない。でもただひとつの恋がそこにあった。誰の恋かもわからないけれど、日本人と、パラオやマーシャルの人との恋や別れが歌に残ることによって、いろんなことを想像できる。考えてみればすごいことですね。

大川　歌の力を感じますね。最初は、なぜいまも《コイシイワ》を歌っているのか掘り下げたドキュメンタリー映画を作りたいと思っていました。ところが、歌のルーツを訊けば訊くほど、作者はすでに他界しているし、歌のモデルとなったマーシャルの女性と日本の男性を追うことも難しい。いい歌だからみんな好きだよ、日本語の歌詞だよね、という以上の、歌い継ぐ理由のようなものに、なかなかアクセスできないところもあって。

寺尾　そういう昔の話を聞いていると、深刻というより、日常ってそういう感じだよねということがいっぱい見えてきますね。

たとえば公学校に通ったパラオ人の生徒たちは、放課後は日本人の家に派遣されてお手伝いさんみたいに二〜三時間働いて、一〇〇円か二〇〇円くらいのお小遣いをもらう日常があった。「そのお金じゃ、饅頭くらいしか買えないよ」って笑って話してくれたけど、別に恨みがましい感じでもなくて、そこには日常的な関係性があって、だからお互い交流が続いていく。でもその話が論文などになると、差別構造があって日本人が都合よく利用していたって話になってしまう。人と人との交流という部分は削ぎ落とされて、よくも悪くも構造としての差別や支配の話になっていくけれども、ほんとうは友情や恋が日常を覆っていただろうことも大切で、両方みていかないといけない、と思います。

大川　そうですね。マーシャルの人たちは日本の統治が終わった後に経験した被ばく体験も、昔話や神話と同じように歌にしています。手記として書き残したり、体験を語るなど見えやすいかたちではありませんが、友情や恋の歌とともに日常のなかで歌う。そこにも深刻さはあまり感じられません。

寺尾　パラオ語の歌を歌う人たちも世代的には上になっている印象ですが、やっぱり恋の歌が多い気がします。《Nanyo Sakura（南洋桜）》《Nangara ku sabisi（長らく寂しい）》など日本語が交じっている日本統治時代から流行した歌謡曲のような歌を〈derrebechesiil（デレベエシール）〉といいます。

大川　デレベエシール、聴いてみたいです。寺尾さんが曲を作るときは、どんな時ですか？

寺尾　暗い気持ちから作ることはありますけれども、作ることが苦しいというのはないです。

大川　高校三年生までに七〇曲ほど歌を作られて、今でも普通に生活していたら、年間一〇曲くらい作れるという話に驚きました。

寺尾　年に一〇曲生まれる時は大変です。そのぶん人生がガタガタなので（笑）。歌は呼吸して出てくるものというか。自然に出てくることもあるし、何か強い感情があって出てくる時もある。

大川　歴史や戦争など、現地の聞き取りで得られたことを直接的に詞にしたものはありますか？

寺尾　バンドの方（Thousands Birdies' Legs）で、《Mr. Saipan》という曲を作りました。初めてサイパンに行ったときに泊まったホテルにプールがあって、そのプールサイドで平井堅の歌が流れていたんですね。こんなところで日本の歌が流れていて、でもお年寄りたちの喋る日本語は消えていく。今のサイパンはそんな場所なんだ、と気づいて書いた歌でした。

繁る椰子の木　さびれた戦車
波打ち際の　沈船
Mr. Saipan は　微笑んだ
揺れる水面に　落ちゆくサンセット

あふれるジャパニーズ　南海の楽園
きえゆくジャパニーズ　忘却の楽園

大正4年の　生まれだと
笑った瞳の　その奥に
さりゆく記憶の　苦い味を知る
まるで内地サイパン　にぶい傷跡

あふれるジャパニーズ　よみがえる異国の響き
きえゆくジャパニーズ　忘れられたメロディ

記憶と表現と研究

大川　サイパン以外の南洋の島々にも重ね合わせて聴きました。寺尾さんの身内で戦争を体験された人はいますか？

寺尾　祖父の兄弟ふたりがフィリピン沖で沈んだと言われていますが、実はもっと南のほうの島で死んでいたらしいとか、よくわからないみたいです。

ひとつあげるとすれば、高校生のときに、ＮＨＫで短歌を紹介する一五分程の番組があって、そこで紹介されていた短歌がすごく印象に残って覚えていたんですね。

征きし子等還らぬのちは神仏に掌合わすことなく逝きたる母よ　　清水福子

後になって、私の母の叔母にあたる人が短歌を詠んでいて、朝日歌壇に載ったものを見せてもらったら、その歌だったんです。私にとってはひいお祖母さんをうたった短歌だった。そんな偶然もありました。

大川　歌を通してひいお祖母さんに出会っていたとは……。お父様（寺尾次郎氏）とは戦争の話をしたことはありましたか？

寺尾　しなかったですね。晩年にインタビューという形で二時間ほど話を聞きましたが、学生時代の話や祖父のことを聞きました。父は高校時代に学生運動みたいなことをしていたのですが、祖父と対立して、縁を切っていた時期があったと聞きました。戦争をめぐっての捉え方の違いというか、どうして戦争に反対しなかったのか、何もしなかったのかと父は思っていたようで。祖父が「仕方なかったんだ」というようなことを言ったのに対して、父は許せなくてその場を出て行ったと私は記憶しています。

インタビューの時に、そんなことがあったよねと父に言ったら「その時は俺も親父の気持ちがよくわかってなかったんだな」って、やけに物わかりが良くなっていて（笑）。時代のなかで戦争の捉え方もちょっとずつ変わっていくし、注目される側面も変わってきて、父自身も生きて行く中で歴史や人間のとらえ方がひろがって多面的になっていったのかもしれません。

大川　お父様がそんなふうに出ていかれたことを、幼いながらに憶えていたんですね。

寺尾　記憶の一コマとしては大きくて。父の祖父は政治家だったんですが、その前は魚雷の部品を作る会社を作って結構儲けた人だったことを大学時代に知りました。『南洋と私』（リトルモア、二〇一五年）の取材で、魚雷でお姉さんと弟を亡くした菊池美和子さんの話を聞いていたので、そういう兵器と自分がつながっている、という感覚をその時強く感じざるをえませんでした。

大川　そんなふうに歴史や外国に関心をもつようになったのはいつごろからですか？

寺尾　中学生の頃に、満洲族で日本と中国の狭間で生きた川島芳子を知って、この人の研究をしようと思ったんです。それで中国語やらなきゃと思って、中学三年生から独学で中国語の勉強を始めました。

大川　川島芳子とマーシャル両方にかかわりのあった小山たか子さんのお話、『南洋と私』で興味深く読みました。満洲と南洋のつながりを感じると同時に、ちょうど本を読んだ二〇一五年、小山さんが暮らしている長野へわたしもある人を訪ねに行っていました。その方は、戦死したお兄さんの慰霊で一五回もマーシャルへ行かれていました。

寺尾　小山たか子さんにお会いしたのは二〇〇四年で、「どうせ行くならパラオへ行って来なさい。サイパンは日本と同じ」と言われたのでした。

大川　しかし、中学生で研究者を目指そうと。まわりの反応はどうでしたか？

寺尾　ひそかな決意で宣言はしていません。上坂冬子『男装の麗人　川島芳子伝』（文藝春秋、一九八四年）の後、本格的に調べられた本があまりなかったので、自分が川島芳子の研究家になろうと思ったんですね。大学院に入って、論文書けなかったんですが、結果的に良かったなって思います（笑）。そこで諦めたから。論文は感じたことはあまり書けないじゃないですか。書き方に作法のようなものがあって、結論ぽいものも出さないといけないし。それが性に合わなかったですね。書いている自分は揺らいでいるのに、そこを迷いがないように見せなきゃいけない。それはなんだか嘘があるように感じたのでやめますって指導教官だった先生に言ったら後から「寺尾さんがやりたかったのはジャーナリズムなんですね」って言われて。ジャーナリズムかアカデミズムかといわれたら、確かにジャーナリズムの方だと思いました。やっぱり人にちゃんと伝えたい、共有したいというか。そういう意味ではアカデミズムはちょっと狭くなっちゃうなと思いました。

音楽をやるか研究者になるかで揺れていたときにも音楽はずっと続けていたので、そんなに悩まずに移行できたかな。だからあんまり極端に、自分はこれしかないとか思わないでいいのかもしれません。気になるものがあれば並行してやっていくと、思わぬところが伸びたり、注目されたりってこともあるから、表現の幅は狭めなくてもいいんじゃないかな。

大川　ジャーナリズムとアカデミズムと、音楽や映画や文章などの表現は、もっとぐちゃぐちゃしたら面白いですね。寺尾さんが実践されているように。

寺尾　学者でも社会学者の岸政彦さんの本とかが広く読まれるようになってきているので、希望を感じますね。

大川　そうですね。一方で、手軽にアクセスできるネット記事やＳＮＳの世界で飛び交うことばを見ていると、歴史の捉え方や他者との出会い方がなにか根本的に変わっていってしまうような危機感を抱くこともあります。

寺尾　高校でも大学でもいいんですが、ひとつのテーマで調べてレポートを書くということを経ていれば色んな資料に当たるということの大切さがわかると思うんですが、そこを経ていなかったり、形だけ経ていてもネットの情報をコピペですますとか、調査を疎かにするような風潮になると、事実を見極めるということが難しくなりますよね。ネットの記事も本も、日本にとって都合のいい事実だけを並べていくようなものも増えましたから。

たとえば「南洋は親日」とよく言われることばも、それを信じてしまった人にそんなに簡単な話ではないと伝えていくのは難しいですよね。そういう見方はちょっと怪しいんじゃないかと疑うことも含めて、そういうリテラシーがない人が増えていったときに、どうなっていくのかな。私も大川さんも、実際にその場所でその時代に生きてた人から話を聞いているというのは、強いなとは思います。でもその現地で見聞きしたことも、たとえばパラオのお年寄りが日本がどれだけ好きかという証言だけを切り取って公開されてしまうと、そこで固定化されてしまうところがあるし。なかなか地道な作業ですよね。

南洋とのつながり方

大川　これから先、パラオをはじめ南洋とどんなふうにつながっていきたいですか。

寺尾　パラオは環境保護の意識が高くて、日本が学ぶべきことは多いなと思っています。たとえばパラオ入国者全員を対象に、環境保護宣誓を求める〈パラオ・プレッジ〉という制度が二〇一七年に導入されました。最後の一文には「自然に消える以外の痕跡は残しません」とあるのですが、初めて読んだ時、美しい詩のようだと思いました。サンゴに害を与えるとされる日焼け止めも、海に悪い成分が入っているものは禁止して、空港でも安全で環境にも優しい日焼け止めを売っています。

大川　素晴らしいですね。それはパラオ政府の人たちがしっかりしているんですか？

寺尾　そう。特に女性です。女性が強いというのはすごく希望のある話で、パラオの国立博物館の館長やパラオ国際サンゴ礁センターのトップも女性です。そういう意味では改革も早いのかなと思います。

大川　マーシャルも詩人で気候変動活動家のキャシー・ジェトニル・キジナー（Kathy Jetnil-Kijiner）さんは、国連で気候変動の詩をリーディングして以来注目を集め、積極的にマーシャルの声を発信しています。

でも、未来を考えて行動を起こせる若者はほんのひと握りです。アメリカ、ハワイ、グアムなどへ進学または就職しても、金銭的な事情や家族の都合で帰ることが難しいケースが多いと聞きます。帰ってきても雇用がないことがさらに大きな課題で、国内の人口が減っています。パラオも一度外へ出てしまったら、帰ってくることは少ないですか？

寺尾　パラオもおそらくその問題はあると思います。ただパラオから日本に留学する人たちも毎年何人かいて、記念誌の取材で立命館に来ている子にふたりほどインタビューしました。彼らはパラオに戻って政治の仕事をしたいと言っていました。

大川　それは希望がありますね。連載中の武田一義さんの漫画『ペリリュー』の影響で、日本から若い人がペリリューに行くきっかけになっていると伺いました。昨年（二〇一九年）行かれた時に、そのような変化は感じましたか？

寺尾　そうですね。若い日本人の男の子で、大学には行かず働いて、いつかパラオで日本の中古車を売る仕事をしたくて視察に来たという子に会いました。ペリリューは行っておきたいと思ったって、言っていましたね。二〇一五年に天皇が訪問したのも大きかったかもしれません。

大川　健康問題や核実験の影響についても、もっともっと議論の場が生まれることを願います。輸入食品に頼るようになった食生活の変化で、マーシャルでは女性の三人にひとり、男性の四人にひとりが糖尿病といわれています。

寺尾　そうですよね。パラオも九〇％以上を輸入食品に頼っているなか、生活習慣病で命を落とす人が増えています。それを受けて、女性の大臣が学校の給食からスパムを排除したんです。高校に置いてある自動販売機からコーラも撤去したり、食生活の見直しに気づき始めています。

大川　それはすごい。マーシャルのことを考えるために、パラオに行ったほうがいいのかもしれない。

寺尾　マーシャルも気候変動による海面上昇の問題が深刻ですね。

大川　はい。海抜二メートルの島なので、二メートル海面が上昇したら沈んでしまう危機に直面しています。国内の話としてだけではなく、いかにCO2排出量が多い大国とともに対話していくかをマーシャルは考えています。

スタディツアーがきっかけでわたしはマーシャルと出会ったので、いつかわたしもツアーが作れたらいいなと考えたり。いろんな世代が参加するツアーができたら、いいな。

寺尾　それは、ぜひやったらいいですね。それこそ、戦争で現地にいた人の遺族や関係者に話を聞く機会ができたらいいですよね。

大川　はい。数年後には、わたしたちに貴重なお話を聞かせてくれた世代がいなくなってしまう。それでも通い続けることに意味があると思うし、わたしたちの世代だからこそできることもあると思います。

寺尾　知りたいけど接点がなかったという人に向けてできることは、想像以上にあるはずですよね。映画は敷居が低いというか、身近なこととして考えられるきっかけになりやすいのかなと思います。

ツアーだったら、大川さんが媒介する人になって歴史を伝えられると思うし、ひとりひとりの関心を持ち寄って、小さく始めていく。

「良いことはゆっくり進む」と言います。ものごとは人の感情がつながったところから動き始めるから、そこを生むのが最初の一歩という気がします。

「この辺り、歩いたことある?」「初めてです」「私も」——帰り道、坂の上の洋館〈えの木てい〉から、ゆっくりと汐汲坂を降る。南洋へ行く前、中島敦が教壇に立った横浜高等女学校は汐汲坂の途中にあり、今は幼稚園がある。中島がパラオやマーシャルからふるさとを思い出す景色の中に、この道もあったかもしれない。

「そういえば、むかし電話で前世を占ってもらったことがあってね」と紗穂さんはつぶやい

た。「あなたはヨーロッパで少年兵だったから、この世界では戦争のない、しあわせな暮らしをするために生まれてきた」と。そう言われると、戦争に関心がある理由もなんとなく腑に落ちるような気がしたことを思い出した、と小さく笑った。インタビューの最後に、紗穂という名前は古代ギリシアの女性詩人サッフォーの響きに由来すると教えてもらった。前世はヨーロッパ、現世は南洋に縁がある紗穂さんに、来世があるとしたら？　と訊ねてみると「来世は男として生きてみたい」とさっきより明るい声が返ってきた。

終点の渋谷駅まで、いろんな話をした。なかでも、岡山のハンセン病療養所で暮らす九四歳の男性について聞いた話をよく思い出す。紗穂さんは以前コンサートで岡山を訪れ、その方から戦時中に船乗りとして食糧を運びに南方へ行った話を聞いた。ほとんどの船が沈められて到着しないなか、ようやく日本の船が着いたからだろう、青年だったそのおじいさんは、飢えた日本兵からきつく抱きしめられ、その感覚を、いまでも覚えているという。日本兵は米軍の空襲を楽しみにしていた。爆弾が海に落ちると魚が捕れるから、と。

療養所にある海が見えるカフェには、アップライトピアノがあるという。そこで一緒にコンサートと映画の上映をして、南洋の話の続きをいつかできたらいいな。

東横線の車窓から夕暮れに染まる街並みを見つめながら、瀬戸内海を背景にピアノを奏でる紗穂さんが心に浮かんでいた。

國威宣揚

6.

書くことでたどり着く、想像の外へ

DOMON Ran
YANASHITA Kyohei

土門蘭×柳下恭平

二〇二〇年二月八日　京都「西尾八ッ橋の里」

真っ赤な本の佇まいに目を奪われた。

靴のサイズを測るように、右手を表紙の上にあててみる。やや細身の判型は、日本と韓国の女性の平均的な手のサイズに合わせたという。わたしの掌は、四方にわずかな余白を残せるうちにぴたりと収まった。本のタイトル『戦争と五人の女』がハングルと日本語で箔押しされていて、ペンを握る女の手の影が、うっすらと映り込んでいる。

戦争をえがく若い作家に会いたいと思っていた矢先に、わたしは刊行されて間もないこの美しい本と出合った。

一二月八日。

京都四条烏丸の本屋で『戦争と五人の女』刊行記念トークイベントが開かれた。七八年前のこの日、日本軍がハワイ真珠湾の米軍基地を攻撃し、太平洋戦争が始まった。

物語は、太平洋戦争の終結から五年後に始まった朝鮮戦争が休戦を迎える、一九五三年七月のひと月の話。広島県呉市朝日町で生きる五人の女を中心に描かれる。著者の土門蘭さんは、呉出身の小説家。作家であると同時に、出版社を営んでもいる。

〈ファンタジーとしての従軍慰安婦〉を書きたいと思った——。

土門さんはトークがはじまると、軽やかにそう言った。

太平洋戦争終結までの一五年間、日本軍は占領した各地域に軍の慰安所を作り、日本本土、朝鮮、台湾などから慰安婦を動員し、さらに地元の女性も対象となった。一九九〇年代以降、慰安婦問題が国際社会の中で注目され始めてから、二〇一九年はとくに様々なニュースに関心が集まった。日本では慰安婦をめぐる映画の上映が議論を呼んだ。また慰安婦像を展示した芸術祭の企画展が脅迫や抗議により中止に追い込まれ、閉幕七日前に再開したものの、文化庁が芸術祭自体への補助金不交付を発表し、政治介入がなされた事実を含めて問いを多く残した。

トークは土門さんと一緒に出版社〈文鳥社〉を経営している編集者の柳下恭平さん、装釘を担当した橋本太郎さんの三人で繰り広げられ、刊行までのストーリーに深く魅せられた。この日、会場では土門さんの短歌と橋本さんの漫画による新刊が発売された。購入すると土門さんが短歌を一首、サインに添えてくれるという。わたしは新刊を手に、サイン会の整理番号が呼ばれるのを待った。

「趣味は何ですか?」と土門さんに質問されて、即答できずにいると「すきな季節は?」と質問を変えてくれた。「春です」と答えると、次の歌が見返しに詠まれていた。

歳をとり　様々な欲　なくしても
エバーグリーンな　歌をうたって

トークイベントから、ちょうどふた月がめぐった。

東京駅午前八時四〇分発の新幹線車内は満席で、乗客はほぼマスクをしていた。新型コロナウイルスの感染拡大で、一月二三日に中国の武漢が封鎖、日本国内でもマスクの品切れが続いていた。これが自由に移動できる最後の取材になるかもしれない。

取材の前に、土門さんが『戦争と五人の女』を執筆した老舗珈琲店を訪れた。

落ち着きと開放感がある店内は、一席ごとの間隔がゆったりと設けられていた。自然光が降り注ぐ中央の吹き抜けには、うつくしい砂紋の石庭がある。思っていたよりずっと光に溢れているこの場所で、『戦争と五人の女』を執筆している土門さんを想像してみたけれど、うまくいかない。でも、これから会って話を聞けるんだと思うと胸が高鳴る。最後にもう一度店内を見渡してから、待ち合わせの場所に向かった。取材には、編集者の柳下さんも同席くださった。

ファンタジーとしての従軍慰安婦

土門　私は広島県呉市で生まれました。母は韓国のソウル出身で、父は日本人です。『戦争と五人の女』に登場するジュンヒ（異国の地でからだを売り老いていく、五人の女の中で最年長）は、ほとんど母をモデルに書きました。母は昭和二五（一九五〇）年生まれと言っていますが、朝鮮戦争が始まる混乱期に生まれたので、生年月日がちょっとあやふやだそうです。母は幼い頃に両親が離婚し母親と別れ、父親が再婚したので継母に育てられました。継母は四人の子どもを産んで大学まで行かせましたが、母は中学を卒業してからも家の手伝いをさせられていたようです。母には結婚を考えた恋人がいましたが、相手の親に学のない女とは結婚させられないと反対されたらしくて。仕事も限られているし、恋人とも結婚できないので、知り合いのつてを頼って三〇歳で呉に来ました。一九八〇年代に韓国やフィリピンから日本に働きに来るブームの先駆けでした。

父は北海道出身で、一一人兄弟の九番目。家族は牧場を経営していましたが、父は兄とそりが合わず、生き物も苦手だったので工業系の専門学校に行きました。造船所のある県で就職し、そこで出会ったふたりの間に生まれたのが私です。

ふたりとも一生懸命働いていましたが、かなり貧乏な家でした。私は小学校入学時に母の日本語能力を超えていたので、煩雑な書類手続きなどは私が代わりにやっていました。もともとは精肉店や喫茶店などで働いていたそうですが、母は途中からホステスとして働き始めました。私が小学校に上がる頃、独立してスナックを立ち上げます。

ある日、私が母の店でお客さんにもらったお寿司を食べていると、酔っぱらったお客さんからお箸の持ち方が違うと言われたことがありました。「韓国人の娘だし、礼儀作法もなってないんだろうね」って、母の前で普通に差別的な発言をする。スナックでくだを巻いて溜飲を下げていたのかもしれませんが、それを母が笑ってなだめてあげる。

ずっとそんなものを見てきたので、日本人でもないし韓国人でもないという気持ちが育っていきました。私は韓国語が喋れないから韓国人ではないと思っているけれども、母や私のことを差別する日本人を見ていると、どうしても自分が日本人とも思えない。最初はそれが辛かったんですが、だんだんそれが自分のアイデンティティーなのかもしれないという気持ちになってきました。

二五歳から一〇〇枚の短編小説を三本書いたのですが、全部モチーフは母だったんです。どこにも属せない人とか、国から異端扱いされている人の象徴が母だったので、彼女を書くことで自分と母を理解しようとしていました。

柳下さんとは、三作目を書き終わったタイミングで知り合いました。

実は、もう小説を書くのを辞めようと思っていたんです。自分自身が母親になったことで小説を書かなくても生きていける方法を見つけたと思っていました。そんなときに「一緒に小説を書きませんか」と言われて、自分ひとりでは書けないものを書こうと考えて浮かんだのが〈ファンタジーとしての従軍慰安婦〉でした。

従軍慰安婦は韓国の人が周りにいるとどうしても身近にあるものです。でも、何が事実かわからない私はどちらの味方にもなることができない気持ちがある。象徴的に書こうとすると、母が浮かびます。幼い頃から見てきたスナックの風景と合致するので、それを元に描けないかなと思いました。

柳下　広島は軍港で、軍人や軍属が多いエリアです。カウンターを挟んで女性と男性がいる。戦争は様々な文学で描かれてきたモチーフですが、抗うことができない大きな暴力のメタファーだと思うんです。理不尽な流れに対して、我々の日常が簡単にひっくり返る。そういう戦争を背景に男女を描く場合、フェミニズムや歴史認識など表現が難しい問題もあるけれど、僕はもっとパーソナルでいいと思っていたので、最初に〈ファンタジーとしての従軍慰安婦〉と聞いたときは興奮しました。

戦争や従軍慰安婦ということばだけを切り取ると大きな歴史に回収されてしまうものが、〈ファンタジーとしての従軍慰安婦〉を書くことで個人的な共感を作ることができる。今起こっている現代的なこととも結び付くし、普遍的な気がしたんですよね。

土門　その時はただ、ファンタジーが書きたかったんです。年齢は一〇代から五〇代くらい、性格や性的指向もさまざまで、どこの国かわからないカタカナの名前の女性が五人いる。戦争で荒れ果てた土地に、たんぽぽみたいに生きている女を書きたいな、と。〈ファンタジーとしての従軍慰安婦〉と〈焼け野原に咲くたんぽぽ〉――このふたつのことばから書き始めました。

物語を書くために、ルーツと向き合う

空襲で焼け野原になった呉の街には、七五年を経たいまも戦争を想起させる記憶が遍在している。土門さんの実家の裏庭には、物置になった防空壕があるという。毎年夏休み中の登校日には、アニメ『はだしのゲン』などを平和学習の時間に見た記憶がある。「今爆弾が落とされたら、どこへ逃げたら助かるか」と土門さんが先生に訊ねると、先生は「どこに逃げても助からん」と言った。以来、夏の空気とともに空襲を予感させる飛行機の姿を見かけると、土門さんは怖さを感じるようになる。

柳下さんは、最初は朝鮮半島をイメージして書き進めていた小説の舞台が、途中から土門さんの地元である呉ではないかと思い始めた。朝鮮か呉か、どちらかを探りながら一九五〇年代の呉を知る手がかりに映画『仁義なき戦い』を観たり、当時の新聞を読むなどして時代考証をしたという。

それから土門さんと柳下さんは、呉を舞台にした方がもっと大きいものが描けると、呉を小説の舞台に設定し直し、再び物語を紡ぎ始めた。今は住宅街に変貌した朝日町を訪れ、当時の街並みや遊郭があった場所を一緒に検証した。とりわけふたりが熱心に探した遊郭の写真は、昭和に入る前に撮影された一枚しか見つからなかった。軍都だった戦時中の呉市内で

は、写真撮影は厳しく制限されていた。

土門　これは私にしか書けないというのは、単純な事実として感じていました。母は韓国から来た女の子を雇い、家に居候させてもいたので、いわば『戦争と五人の女』のクンヒ（フィリピン人と韓国人の娘）みたいな女の人たちと一時期暮らしていました。私は彼女たちとことばは通じないけれど、なんとなく表情で言いたいことがわかるみたいなことは、そういう環境で育ったからだと思います。

常になにか苛立ちのようなものも、私の中にありました。韓国と日本の関係にまつわる政治的なニュースやインターネット上での論争などを見るたびに、母も私も翻弄される立場だなと感じます。それに対して恨みはないけれど……苛立ちが一番近いのかな。私はそれを実際に引き受けて生きてきたんだから、誰にも気兼ねをする必要はないと思っていました。

ふたつの国の関係を、大きな問題ではなくて、単純に私の目から見た世界として書くという考えから出発しているので、あんまり気負ってはなかったですね――苛立ちがことばとして合っているのかどうかわかりませんが。

自分の中にも、日本と韓国、それぞれを拒否／差別する気持ちがあります。認めたくなかったけれども、それは自覚しないといけないし、ごまかさないで生きていくために、ちゃんとした文章を書きたい。

一方で、差別を受ける側の気持ちもよくわかります。韓国に馴染むと日本人の中で孤立することを小さい頃から感じ取っていたからか、逆にものすごく日本語に傾倒したんです。大学でも日本文学を専攻して、日本語にとても執着するようになりました。

私はこれまで自分のルーツと向き合ってこなくて、ずっと否定というか、逃げて見ないようにしてきたんです。でも、ちゃんとルーツと向き合うことができたら、自分にしか書けないもので、ひとつの物語を作れるんじゃないかと思うようになりました。今まで書いた三作も、ルーツに向き合いたくて書いたところもきっとあります。

母をモデルにしたジュンヒの章を書くときに、馬小屋で生まれてイギリス兵に取り上げられたと創作で書いたんです。その後、母に訊いたら、母の誕生もまさにその通り馬小屋で、しかも外国の兵隊さんに取り上げられたということまで一緒だったので驚きました。偶然ですが鳥肌が立って、書くべきなんだろうなと思いました。その時に初めて祖母の写真も見せてもらいました。背が高く、痩せていて、シャキシャキ動く人だったと聞きました。


「背が高く、痩せていて、シャキシャキ動く」のは、土門さんが書いたヨンジュ／英子（ひ

とりの男を待ちながら、日記を書き続ける女。日本と韓国、ふたつの名前をもつ）の造型でもある。五人の女の中で、土門さんはヨンジュ／英子を自分自身にいちばん近い存在として書いた。ジュンヒとモデルである母親の、誕生をめぐる偶然の一致。ヨンジュ／英子を介した祖母と土門さん自身の類似。それらの連なりから、わたしには小説の女たちと土門さんの家族が重なるようにも見えた。

アーティストは答えを知っている

土門　小説でいちばん書き直したところは、ヨンジュ／英子の書いた手紙と日記が交互に現れる最後の章です。はじめは一冊のノートにつらつらと書き連ねている設定で書いていたんですが、書き進めるうちに、ヨンジュって人を殺してるよね、という話になりました。

私は自然なことだと思って書いたんですが、どうしてヨンジュがそんなことをしたのか、罪悪感や葛藤はなかったのか、ちゃんと共感を作らないと読者はついていけないかもしれないとも思いました。

ヨンジュと英子は同一人物ですが、ふたつの名前は違う役割を持っているかもしれない。ふたつのバランスが崩れてどちらかが強く出たときに、人を殺してしまうとか、母性が強く出る。そういう役割分担があるならば、手紙と日記を、ヨンジュと英子で分けられるかもしれないと柳下さんと相談して、何度も書き直しました。

柳下　さっき土門さんは苛立ちということばを暫定的に使っていましたが、ヨンジュと英子の間にもたぶん苛立ちがあると思います。精神性／肉体性、朝鮮／日本、子供が産める／産めない、恋人がいる／いない……そういった分断がいろいろ重なっている状態がヨンジュと英子です。

僕は、お母さんが馬小屋で生まれたことを知らずに書いていたという話もすごいなと思うんですが、実はあまり驚いていないんです。

つまりアーティストは最初から答えを知っている。

土門さんがそれを書く理由はわからないけれども、書かれたことは基本的に正しいことだと僕は思っているんです。長い時間をかけて集中して執筆していると、情報外の情報にすごく敏感になって、結果的に玉突きのように真実に当たることがままあるんです、彼女の場合は。

最初から素材は全部ある。ただやっぱり、順番って大事ですよね。

ユウ（未成熟な自分のからだと心に苛立ちを覚える一四歳、五人の女の中で最年少）の前の序章を最後に書いて、全部がつながっていきました。

土門　私は書いていて初めて形になったユウの章をすごく気に入っています。柳下さんについてもらって初めて書き上げた章で、編集者についてもらうとこんなにも変わるんだって強く思いました。自分の文章が上手くなったと単純に思えました。

いちばん感動したのは、ユウの最後の文章を書いたときです。

「わたしたちの小さな暴力は、大きな暴力に包まれていて、そこは何だか、心地がいい」

書き上げてみたときに、この小説で私が書きたかったのはこれなんじゃないかと思いました。

ああ書けそうだと思うと同時に、小説って自分の想像のちょっと外にあるんだと思いました。考えていることを書くんじゃなくて、書いているとそこにたどり着くというか。

小さな暴力と大きな暴力

土門さんが普段日記を書いて投稿しているウェブサイトに、『戦争と五人の女』について綴った文章がある。そこで、土門さんは創作の源をこんなふうに綴っている。

「女と男、人間というものが、圧倒的な暴力のもとで自らも小さな暴力を行使しながら、どんな生き方を、どんな愛し方を得ようとするのかを知りたかった。このテーマを、自分はおそらくずっと追っている。なぜなのかはわからない。傷つき続け癒し続けることが生きていくことだと、心のどこかで思っているのかもしれない」（ウェブ上のテキスト「小説『戦争と五

人の女』について」より）

大学で日本文学を専攻した土門さんは、戦後の女と男の関係を描いた吉行淳之介の小説『暗室』をテーマに卒業論文を書いた。戦後〈第三の新人〉と呼ばれる吉行を含む小説家たちが、戦争の大義が揺らいでいくときに、個人的な違和感や疎外感を表現していく点に共感を覚えたという。そんな土門さんは、いまの世界をどのように見ているのだろう。

土門　ヘイトスピーチなどを見ていると、なんてひどいことだろうと思うし、怒りも感じます。でも、私はそれに対して声をあげたいという気持ちは一切ないんです。たとえば韓国と日本の関係も、とても根深いものがあるので、それは間違ってるとかそういうことはやめようよと言ってみたところで、本当に手に負えないだろうと、個人としては思っています。だからマイノリティーの方々に対して一緒に頑張ろうと呼びかけたこともなくて、個人の中のストーリーをちゃんと大事にしていこうねっていう気持ちしかないというか。おそらく、これまで私の周りに同じ境遇の人がいなかったことが大きいのだと思います。私は、連帯することを経験したことがないんですね。

韓国には〈恨（ハン）〉ということばがあります。私はおそらく母を通してひとりで〈恨〉をずっと感じ続けています。でも、自分がおかれた環境に対する憎しみはあまりありません。私は社会的な正義感のようなものがあまりない人間ですが、そういう人でも何かしら苛立ちやわだかまりはあるはずなんです。それが憎しみとして残る人もいれば、財産として自分なりの表現に昇華できる人もいる。

男の人に対して、あるいは日本人と韓国人に対して、自分の中に〈恨〉はある。だけど、苛立ちやわだかまりが自分にとっての財産だと思っているところがあるので、私はそれによって損われていない。そこは自分の良いところだと思っています。自分はこの財産があるから、小説が書ける。

もちろん、戦争はないほうがいいとは思っています。なくなったらいいと本当に思っていますけれども、やっぱりどこかで受け入れている。人間の本能として、それこそ本当に根深いものだと思うので。

子どもがふたりとも男の子なので、たとえば徴兵されるかもしれないとなったら、たぶん私は子どもを連れて逃げます。もし見つかって殺されるのであれば、自殺します。もし、戦争が起こって誰かを殺すか誰かに殺されるなら、自殺をするのは決めているんです。

もしも私が男で兵隊に行ったとしても、逃げるだろうなと思います。逃げて逃げて、逃げられなくなったら死のうという答えは、小さい時からずっと変わっていません。

柳下　〈ファンタジーとしての従軍慰安婦〉ということばと、「何だか、心地がいい」ということばで考えると、暴力でも大きなシステムと小さな出来事ではちょっと違う気がするんです。小さな暴力は心地いいけれども、大きな暴力は心地いいとは思えない。だから自殺という選択肢を取るかもしれない。

つまり戦争は手に負えないから、逃げるしかないし、抗えないんだったら死ぬしかないというのは、整合性が取れている。

僕は戦争が起きたらどうしようって、考えたこともなかった。僕の祖父は軍人で、父も三菱重工に勤めていました。軍需産業の親類もいるし、父方の親戚はわりとお上に近いところにいます。僕にしてみたら得体が知れないけれど、そういう人たちが世の中のシステムの大きな歯車を回していて、その歯車は弾みがついたらもう誰にも止められない。それは理解しているので、たぶん実際に戦争が起こったら、僕は逃げ切れもしないだろうな。

差別は地雷みたい

土門さんはいつかお母さんに『戦争と五人の女』を読んでもらえたらと思っている。「自分の人生は小説になるんだ」と感じてもらうと同時に、土門さん自身のことも小説を通してもっとわかってもらえるかもしれない、と期待する胸の内を明かしてくれた。

いつか、土門さんの子どもたちにも小説を読んでほしいかと訊ねると、どうだろうな……とことばを探りながら、今の日本で自身のルーツを明かして生きていくことの難しさから語りはじめた。

土門　私は中学まで、クラスメートから時々差別を受けることがあったのですが、そのグループの子たちがみんな勉強ができなかったので（笑）、彼らと違う高校に行くために勉強を頑張りました。それで高校に行ってみたら、幸運なことに差別されることがなくなったんですね。母のことも公にしていたけれど、馬鹿にされるようなことは一切なかった。差別は良くないという教育を、しっかり受け止め自分のものにしている子たちばかりでした。

でも大学へ進学したら、今度は逆に、私のルーツを知らない子が、韓国人に対する差別的なことを口にする場面に時々出合うようになったんです。私自身はそのことを隠すつもりもなかったし、母のことを訊かれたら韓国人なんだよって話をしましたが、そういうことがあるからなのか、両親が韓国人だということをひた隠しにしている友達もいました。差別はどこにあるのかわからない地雷みたいにあって、ああここにあったのか、この人もそうだったのかって、出合うたびに傷つくんですよね。

だから息子たちがクォーターであることをできるだけ公言したくない自分も、やっぱりいるんです。

できるなら、地雷を受け負わせたくない。どうしても傷つく瞬間は絶対にあるから。彼らが自分のルーツを表に出すか出さないかは彼らに任せるけれども、経験上そこを背負うのは結構しんどいし、子どもたちのメンタルの強さによっても葛藤も生じるかと思います。

ただ私がこういうルーツを持った人間であること自体は隠したくはないので、この小説もいつか読んでくれたらいいなとは思っています。答えになっているかな。

戦争は女性名詞?

『戦争と五人の女』に登場する女たちが、戦争をどのように捉え、感じているのか。彼女たちの語りの中で、戦争は時に〈女〉や〈雨〉となって表現される。

からだを売りながら客の子供を産み続けるユウの母・世津は、「きっと戦争も女だろぅ」と女に喩える。

「あたしたちは、戦争という女の、つるみたいに巻きつくような腕のなかにいる」

ひとりで日記を書き続ける二九歳のヨンジュ/英子は、雨を戦争に喩えて待ちわびる〈あなた〉に手紙を綴る。

「「戦争って雨みたい」とわたしが言ったのを、覚えているでしょうか。あなたはうなずいたんです。そしてまた、雨のなかに戻っていってしまった」

土門　戦争が女性名詞か男性名詞かわかりませんが、私は女性名詞だと思っています。戦争を引き起こすのは男だし、コントロールしようとするのも男だけど、やがて手に負えなくなる。戦争が人格を持ち始めるというか。それがすごく怖いところだし興味深いところで、その構図が男性と女性の関係に似ていると思っています。

一般的に言えば、男性のほうが立場が上で、女性がちょっと下という風潮が昔から続いていますよね。でも私は、男性のほうが女性にいいように使われているんじゃないかと思ったりもします。戦争と男たちの関係も、それにすごく似ている気がします。

柳下　女性の政治家が多くなったら戦争が起きにくくなるだろうと世間でよく言われる意見には、僕も直感的にそうだろうと思います。戦争は男性が起こすものという一般的な言い方も、そんなに間違っていない気がする。

小学生を見ていると、社会性のある遊びをする女の子に対して、男の子は高いところに登って飛び降りたり、棒があったら振り回したりし始めます。しかし、そういう男性的な本能が引き起こすのが戦争だとすれば、戦争がアンコントローラブルになっていく感じは、男性のロジックと違うというか、女性的だと感じることがあります。

土門　「戦争は雨みたい」と書いたのは、私は雨の日に家の中にいるのがすごく好きで。それは守ってくれるものがあるからなんですよね。攻撃をされて守ってもらって、初めて存在を意識するというか。

戦争の場合は、守ってくれるものが全部焼き払われるので、ものすごく強い雨、ということになります。

表現する恐怖と覚悟

土門　この小説を書いている時、受け取り方によっては誰かを傷つけたり怒らせたりすることがあるんじゃないかと心配していました。表現することの恐怖はそういうところにもあります。

柳下　本を読んだ上で、世間の評判ではなくて自分自身のことばで発信することは、いうまでもなく完全に自由です。僕が一番怖いし嫌だと思うのは、ＳＮＳや週刊誌が部分だけを切り取って、それが広まってしまうことで、実際に本を読んでない人がいろいろ思ってしまうことです。

小説は一言では言えないものです。

土門　一言では言えないことがあるから作っているわけで、まずはすべて読んでほしい。

以前、ある女の子からメールをもらったことがありました。私が詠んだ短歌に不快と怒りを感じる表現がいくつかあったので返品したい、でもその前に土門さんがどういうつもりでそれを書いたのかを聞きたいという内容でした。

短歌は文脈がなく、三一文字だけで表現される文学なので、それ以外の余白の部分は読者の想像力で賄われます。

ことばは誰かの心を射抜く力もあるけれど、意図しないで傷つけてしまう力も持っています。受け取り方によって伝わり方は変わるから、私にはコントロールできません。不快な思いをさせてしまったことは本当に申し訳ない、返本前に対話を望んでくれてありがたいと伝えました。

すると、彼女自身も作詞をしていることがわかり「表現って確かに覚悟がいりますね。このやり取りでそれを学びました」という返事が来ました。彼女は自分は正義感が強いと自己分析していて、だから誰かの表現に対して怒りを感じることがあるのだと話してくださいました。

柳下さんいわく「**イタコのように書く**」**土門**さんは、**死に近**いところで**生**きる**五人**の**女**を**書**きながら、「このままだと**私**は**生活**ができなくなってしまう」と**精神的**に**追**い**詰**められていった。**表現**する**恐怖**を**抱**えながら、**覚悟**を**持**って**執筆**する**生活**の**中**で、**土門**さんはなんとかバランスをとろうと、ある**選択**をする。それは、**彼女**たちとは**反対**に**生**に**近**いところで**生**きる**人**たちを**取材**する**本**を**同時**に**編**むことだった。**経営者**として**生**きる**一**〇**人**に〈**孤独**〉とは**何**かをインタビューした**本**の**中**で、**土門**さんはひとりひとりの**経営者**が**持**っている〈**孤**

独〉を〈穴〉に喩えて表現している。このときも、人が何かしら抱える〈穴〉について「誰かのせいにするのでもなく、頑張って埋めようとするのでもなく、穴から出てくるものを大事にしたい」と語っていた。そして二冊を並行して作ったことを振り返って、「ほんとに死ぬかと思いました」と言いながら、土門さんはとても晴れ晴れとした笑顔を見せた。「まるで贈り物のようだな、と思う。いびつな穴から生まれる、唯一無二の贈り物。そのときわたしたちはようやく世界とつながって、曖昧な輪郭を描き出すのだろう」（『経営者の孤独』ポプラ社、二〇一九年）

この本を出すときに、友だちに不妊治療をしている子がふたりいました。ふたりに読んでもらうのが一番怖かったけれど、すごく良かったって感想を伝えてくれたとき、ちゃんと書けたしちゃんと読んでもらえたんだなと思えました。単にセンセーショナルな表現として不妊を使ったわけではなくて、女性を表現する作品のなかで、不妊の描写は絶対に必要な要素でした。

そのふたりを傷つけなかったことは、私の中ですごく大きかった。

一方で、人を殺したり、犯されたり、誰かを傷つけるかもしれない場面を描くときには、やっぱりすごく辛かったです。

書くのであればその気持ちにならないと書けない。体験していないのなら想像することしかできません。想像して、本当にその気持ちにぎりぎりまで近づかないといけないと思いました。

だから、書いている時はとても辛かった。ただただ辛くて死にたいと思い、どんどん痩せて、不安定で、いつも泣いていました。

そんなふうに書きながら、この文章で誰かを傷つけるのかもしれないという恐れを抱きながらも、作品の純粋性を優先させたところが強くあります。それが人として正しいか間違っているかは私にはわかりませんが、作品を第一に考えたときに、私がもし誰かに批判され、嫌われたとしても、それはもう仕方がないのだと思ったんです。

そう思えるのは、編集者の存在がとても大きいです。私は主観で書いて、柳下さんは客観で読んでくれているという安心感がありました。柳下さんがOKと言うなら、人としてOKなのかなって思うことができました。

「出会ってみたら完璧なバディだった」

土門さんが席を外している間、土門さんのような作家を探していましたかという問いに、柳下さんは笑ってこう答えた。

取材の後、土門さんが四のつく日に更新する連載ブログ「柳下さん死なないで」に、柳下

さんと最近大喧嘩をした話を綴っていた。それは取材前の出来事であってもおかしくない時期の話として読めた。書きながらどんどん痩せていった話をする土門さんと、代わりに僕がその分食べればいいと冗談を言う柳下さんが並んでいた、取材の日のことを思い返してみる。

柳下さんは「土門さんが書くことは基本的に正しい」と言い、土門さんは「柳下さんがOKを出すなら、人としてOKと思うことができた」と語っていた。

互いの孤独の穴を見つめあいながら、補完しあうふたりの姿が真っ先に思い浮かんだ。

GOTO Haruki

7.

後藤悠樹

いつも間に合っていないし、いつも間に合っている

サハリン／樺太

二〇二〇年三月六日　みずき書林

「一度会って話をしませんか」

依頼状を送って、取材前に面会の提案をいただいたのは初めてだった。映画を作りたいという想いを形にできずもがいていた七年前、マーシャルで後藤さんのウェブインタビューを読み、励まされていた。この本について考えはじめたときに、お話を伺いたいとすぐに浮かんだ顔のひとりだった。

二月一八日、横浜港・大黒ふ頭に停泊していた大型クルーズ船ダイヤモンド・プリンセス号の乗客が下船を始める前夜——渋谷の人混みをかきわけ、待ち合わせの喫茶店へ向かうと後藤さんはテラス席に座っていた。頁に折り目がたくさん入った裸の文庫本が、手元に置かれている。

サハリン自体ではなく、〈自己解説〉になるような取材を受けることに抵抗を感じる理由を後藤さんは穏やかに述べた。「作品を読んでもらえれば、話す必要はない」という気持ちにも共感できた。でも、簡単には諦め切れない想いを伝えてみた。

やると決めたらやります、と応える後藤さんの瞳の色が、変わっていた。

あとの予定がないことを確認し合い、喫茶店を出て晩御飯の店探しへと歩き始めると、後藤さんから一冊の文庫本を手渡された。『人とこの世界』（筑摩書房、二〇〇五年）——開高健が戦前生まれの作家や詩人、学者など一二名の年長者に取材した「文章による肖像画集」だ。本づくりの参考になるのではと勧められたその裸本は、繰り返し読まれたのだろう。鞣した革に似た肌触りをしている。

後藤さんの著書『サハリンを忘れない――日本人残留者たちの見果てぬ故郷、永い記憶』(DU BOOKS、二〇一八年)も、サハリンで出会った人々を「写真と文章で表現した肖像画集」だ。執筆と刊行までの苦しみを知る後藤さんは、ちゃんと栄養を摂ったほうがいいですよと、ヘルシーなメニューが並ぶサラダカフェを提案してくれた。だが、わたしはすっかりお腹が空いていた。後藤さんが普段行くお店があればそこへ行ってみたいと伝えると、道玄坂の路地裏にある長崎ちゃんぽんの店へ連れて行ってくれた。来月の取材を約束してから、貝塚めぐりが趣味という話などを聴き、細硬麺の皿うどんと餃子を分けあって食べた。

井の頭線渋谷駅の改札内に入り、ホームへ上がる階段の前で、一度だけ後藤さんは振り向いた。

顎を上げ、口角をくいっと上げた後、高く挙げた右腕を大きく振っている。

日本からやってきた「はるきさん」とこうして手を振り別れた風景を思い浮かべては、一緒に過ごした時間をなぞる人々が、北の島に暮らしている。渋谷からサハリンを想う、初めての夜だった。

彼女をそこに置いて行ってしまうような

はじめてサハリンを訪れたのは二〇〇六年四月、二〇歳のときでした。当時、写真家セバスチャン・サルガドが名誉顧問を務めた日本写真芸術専門学校のフォトフィールドワークコースに在籍していました。最終学年に各自が約半年間アジアをめぐりながら作品を制作するコースの第一期生でした。

同期には、社会に出て戻ってきた人とか、バックパッカーとか変わった人が多く、普通に高校を出て入学した私は、焦ったわけです。自分には何もないって。外に出ないといけないと感じましたが、みんなと一緒にアジアへ出ても同じことだと思いました。

情報が少なくて、日本と関係がある国で、雪があるところ。三つの条件に当てはまる行き先を探していたら、サハリンを見つけました。そういうとロジカルに選んだみたいですが、地図上に空白地帯の南サハリンを見つけたとき、ぴんときました。

今では中東地域の登場人物が悪者として描かれがちですが、少し前のハリウッド映画なんかを見ていると、大体ロシアは悪者じゃないですか。すぐ拘束されるとか、怖いところというイメージがあったので、最初はビクビクしながら行きました。雪が好きじゃなかったら、行ってないかもしれない。

後藤さんは一年間アルバイトで貯めたお金で、単身サハリンを訪れた。それから一〇年以上、日本に想いを馳せながらサハリンで暮らす多くの家庭を訪ね、「雪のひとひらのように繊細な物語」（『サハリンを忘れない』プロローグより）を聴き集めることになる。

サハリン島は樺太・千島交換条約などを経て、ポーツマス講和条約が調印された一九〇五年から一九四五年まで約四〇年、北緯五〇度以南の地域を大日本帝国が統治し、以北はロシア帝国（一九一七年崩壊）、そしてソビエト連邦によって統治されていた。一九四五年夏、ソ連軍が侵攻した当時、天然資源に恵まれた樺太の人口は約四〇万人（およそ二万三〇〇〇人の朝鮮人も含む）いたとされる。多くの日本人は一九五〇年代末までに日本へ引き揚げたが、さまざまな事情で帰国を断念し、島に残留した日本人たちがいた。その数は千数百人ともいわれ、多くは女性だった。しかし、日本政府はサハリンに残留日本人はいないとの言明を続けてきた。残留日本人の存在に光があたり、民間のボランティアグループによる支援によって一時帰国が可能となったのは一九九〇年以降。それまでサハリンでは、日本人であることを隠して生きていかざるをえない人たちが多くいた。

最初の滞在後、すぐにまた来ようと思いました。学校とは関係なしに、自分の意思でサハリンと繋がりたいと思いました。全然現実を捉えきれていないと実感して。現実っていつも想像よりはるかに複雑じゃないですか。

海外も初めてでしたし、自分からどこかに行って何かをしようと考えたのは、この時が初めてでした。何のフィルターもなく、自分の知らない世界と接する。その経験がすごく新鮮でした。

最初はサハリンの日本人会に所属している人を紹介してもらって、この街に行くので誰か紹介してくださいってお願いしました。そうすると「今度若い兄ちゃんが訪ねて行くからよろしく」って、その場で電話をかけてつないでくれる。仕事で取材をするメディアの人間でもないのに、いきなり若い男がふらっと行くというのは、あんまりないケースだったと思います。

通い始めた頃は、写真を撮りたいというだけのただの子どもで、相手にも警戒心があるのでぜんぜんうまく撮れなかった。相手との距離感もだし、話す内容もままならない。遠慮しすぎたり、逆に近づきすぎてしまったり。未熟だったんですね。写真を撮りに行ったのに、うまくいかなかった悔しさもあります。

最初に会った残留邦人の方が——今は札幌に永住帰国していますが——緊張してドキドキしておどおどしている私にご飯を食べさせてくれて、日本語を喋ってすごく優しくしてくれました。そのときは彼女のバックグラウンドは全然知りませんでした。ただ、ロシアの街並みのなかに日本語で話す人がいるというギャップがよく分からなかったです。

帰りがけに、じゃあねって肩を抱いてくれたときに、自分が彼女をそこに置いて行ってしまうような感じがありました。これっきりというわけじゃないんだろうって、その瞬間に感じたんです。それで、翌年また行きました。

でも、なかなかうまくはいきませんでした。大きな一眼レフはやめて、片手でシャッターを切れる家庭用のカメラで行ったんですけど、そういう問題じゃなかった（笑）。自分が馴染んでいなかったので、カメラを変えたところで人との距離感は変わらなかった。「何に使われるか分からないし、撮るな」と、はっきり言われたこともあります。日本でも、いきなり知らない人がやって来て、家の中でバシャバシャ写真を撮れるかといったら無理ですよね。当然のことだけど、その時は気付かなかった。気持ちが空回りしていたんですね。最初の数年はすごく悩みました。情報もないし、最終的にどこを目指したらいいのかもわからないし、手探りでした。

めぐりあわせのなかで

通い始めた頃のサハリンはちょうどバブルでした。ガスが出るのでシェルやモービルなどの外国企業が入ってきて、物価も東京の二倍ぐらい上がった時期に二～三週間スニッカーズみたいな細いベッドの古くて高いホテルに滞在して、六〇万円くらい使うと何も残らない。

いま考えると経験が残ったと言えますが、その時は写真は撮れない、お金はなくなる、時間も去っていくで、どうすればいいんだろうって。そんな時期が二、三年続きました。

観光ビザで滞在できるのは一カ月で、それも色々と制限があります。二〜三週間の滞在では埒が明かないので、途中から長期滞在を検討しました。でも、長期滞在ができるビザを取るにも現地企業や組織の招聘状、現地に行ってからの身元引受人などが必要で、それをなんとかしないと長期の滞在はできない。

ラッキーなことに、私のロシア語と韓国語の先生だった大学院生が、バイト先だった秋葉原のメガネ屋さんで偶然お客さんとしてやって来たロシア人に相談をしたら、その人の助けで長期滞在ができることになりました。

そんなめぐりあわせのおかげで、二〇〇九年から長期滞在が可能になりました。でも、滞在費の問題はクリアにはならない。すると今度は、友人の友人のお父さんの友人の友人の友人くらいのつながりでサハリンに仕事で滞在していた韓国人家族のアパートの一室を間借りできることになりました。それでようやく、一カ月ちょっとの費用で三カ月間いられるようになった。


二〇〇六年から渡航を重ねるうちに、後藤さんはサハリンとの距離を少しずつ埋めていっ

た。コミュニティによって日本名、韓国名、ロシア名を使い分ける人々に出会い、日本の味噌汁や、キムチ、ペリメニ（ロシア風水餃子）などの各国料理が同時にのる食卓を囲んだ。

それは、マーシャルでも見ることができる戦後〈外地〉の日常風景だ。

ウエノ、カネコ、ミズタニという姓をもつマーシャル人に出会い（チュウタロウ、モモタロウという姓もたくさんいる）、トミコ、ヒロミ、トシローという名の友人ができた。日本の前にマーシャルを自治領としたドイツ、日本のあとに信託統治領としたアメリカにルーツを持つとわかる姓の人も珍しくない。

サハリンでロシアのピクルスが入った瓶のとなりに醤油差しがあれば、マーシャルではタバスコのとなりに醤油差しがある。ワサビにケチャップもあれば、完璧だ。

しかし、このような戦後〈外地〉の日常は、その土地を訪れ、時間をかけて手足を動かさない限り、なかなか見えてはこない。


吉武輝子さんの『置き去り――サハリン残留日本女性たちの六十年』（海竜社、二〇〇五年）という分厚い本を読んでからサハリンへ行きました。当時の住民が書いた本や、サハリンからの一時帰国事業を始めた小川峡一さんの本や、九〇年代初めに国境が開いた時期にサハリンを訪れた方のエッセイも読みました。私としてはちょうどサハリン行きを決定した二〇〇五年に出版された吉武さんの本に対する〈返事〉みたいな意味も込めて、『サハリンを忘れない』を作りました。

小さい頃から歴史の授業は、国語や算数と同じように、単に勉強するものでしかなかったです。教科書的に何年に何があったみたいな。でも、行間には当時の人々のもっと具体的な生き方があって、教科書で学ぶような大きな歴史と個人の人生が両方合わさって歴史じゃないですか。だからサハリンに行くことで、その行間にダイブしていった感じはあります。

ただ、日本の侵略の歴史に対する〈後ろめたさ〉みたいなものは、小さい頃から持っていました。自然とあったという感覚ですが、植え付けられたのかもしれないですね。例えばサハリンで朝鮮系（朝鮮半島出身やその子孫など）の方の話を聞いていると、かれらが残留した原因の一端は日本時代にあるので、やっぱり後ろめたさがある。

でも、ある時、朝鮮系のおばあさんから「私は、はるきさんから何も悪いことをされていないし、私もはるきさんに悪いことをしていないじゃないの」と言われたことがありました。それから少し気持ちが軽くなりました。

戦後七五年が経って、日本の私たちの世代に、侵略や戦争の実体験はありません。そんな私たちが〈侵略をした日本人の子孫たち〉として、どこまで〈七五年前に敗けた戦争やその歴史〉に対して〈後ろめたさ〉や〈罪悪感〉を持ち続けなければならないのか。もちろん、私自身当然、戦争には反対です。しかし、一体どこがゴールなのか、実際に植民地を生きた人々を前に、どう振る舞うべきなのか、それはいつも考えてしまいます。

いつも間に合っていないし、いつも間に合っている

現在南サハリンは、日本が支持する国際条約上は、ロシアでも日本でもなく、日本で発行される地図上ではどこの国にも属さない真っ白な土地です。そこに行ってみたい。それが最初のモチベーションです。行ってみたら完全にロシアになっていて、そこに日本人のおばあちゃんたちがいて、日本語でおしゃべりしている。だんだん仲良くなっていくうちに、全然知られていない話がいっぱい出てくる。発表したいとか本にしたいとか考えはじめてから、自分の立ち位置も決まっていって、現地の人たちとの関係も良好になっていったんじゃないかなと思います。

現在、サハリンに住む残留邦人の方々は、日本でサハリンがどう認識されているのかということは、あんまり気にしていないように見えました。ただ、それは二〇〇〇年代に入ってからの話で、もうひとつふたつ世代が上になると人生の多くの時間を日本時代で過ごしているので、主張があるはずです。それは世代によって変わってきます。

『サハリンを忘れない』のプロローグに「もうみんな死んじゃったよ」というサハリン残

留邦人の支援を始めた小川さんのことばを紹介しましたが、一九四五年当時に社会の中核を担っていた世代は、もういません。でも、まだ日本語を話せる人はいるし、日本人の記憶が残っている人もいる。

日本時代が終わる一九四五年の夏に、一九三〇年に生まれた人は大体一五歳。それが一九四〇年生まれになると五歳前後です。五歳と一五歳では、人生における〈日本〉で過ごした期間がぜんぜん違いますよね。また、小学校に上がるか上がらないかくらいが重要な時期で、一九三八年前後生まれが、日本時代を覚えていて、それを日本語で話せるギリギリのラインです。たかだかこの辺りの数年の差で、日本に対する情報量とか、本人の日本人という認識が変わってくる。

サハリンで多くの日本人に出会っていく中で、それがより鮮やかになりました。私が『サハリンを忘れない』のために、サハリンに滞在したのも二〇一四年~二〇一六年頃なので、この本に登場する人たちといま出会っても、また違う形の写真や文章になっているかも知れない。若くてもそうじゃなくても、その時々にしかできない表現があるし、たとえ過去のものが後に拙く見えても、その時のベストであれば、それがベストだと思います。出会う人々に対しても、せめて自分が、もう一〇年早く始められていたら、と思う時もありますが、それは一〇年前に始められていてもそう思うでしょう。だから、去っていく時代や人々に対して、いつも間に合っていないし、いつも間に合っているような状態です。

出版――「おとしまえプロジェクト」として

後藤さんのウェブサイトで「おとしまえプロジェクト」と名付けられた出版までの道のりをたどることができる。転機となった出来事から国内とサハリンで開催した写真展、つづく〈おとしまえ〉をつけるに至る景色の一端は、次のように記されている。

「今はもう油断すると、大爆発しそうな気持ちを抑え込み、感覚を研ぎ澄ましていく日々。（中略）今まで数十人の人生と向き合ったことも当然ないし、拒絶されることもままあると思う。だけど今回は、拒絶されることも、出会えた喜びも、サハリンで生きてきた彼・彼女たちの喜びや悲しみも全て向き合って、しっかり見届けてこようと思う。それだけはいま決めている」（ウェブサイトより）

渦中で紡がれたことばから、当時の後藤さんが抱いていた生々しい心境が手に取るように感じられる。長年サハリンに携わってきたひとつの〈責任〉を、本の出版という形で後藤さんは取ろうとしていた。

実は、二〇一三年一一月に写真展を開催したら、表現の活動をやめようと思っていたたんです。なんというか、社会人として一般的な生き方をしようと思って（笑）。その年の夏にちょうど無職になったこともあって、定住というか、きっぱり表現活動を止めて、生きようかと思ったんですね。

そんなことを考えていた二〇一三年の九月頃に、星野道夫さんの写真展が彼の地元である千葉の市川でありました。たまたま会場で写真展を企画した人に話しかけられて、三村淳さんを紹介してあげると言われました。三村淳さんは、星野さんの生前から彼の写真をセレクトしたり、本の構成や装丁などを手掛けていたアートディレクターでした。

そうしてある日、新橋の居酒屋で三村さんと会ったらいきなり「お前、ちゃんと落とし前つけてやれよ」と言われました。「サハリンに住んでいるお年寄り全員に会って、ちゃんと話を聞いて本にしてやれよ」って。こっちは今度の写真展でもうやめようと思っているのに、初対面でいきなりなんてこと言うんだと思って（笑）。

でも星野さんの写真や本が好きだったし、三村さんは星野さんの相棒です。相棒の方がそう言ってくれるんだったらやってみようと思いました。

三村さんに言われるまでは、自分の能力的にも今の出版業界的にも、到底本なんてできるわけないと思っていたし、本を作るというアイデアは一切ありませんでした。でも三村さんが「俺も手伝ってやるよ。だから行ってこい」と言ってくれた一言で、スイッチが入った。三村さんがいなかったら、この本はありませんでした。彼にとっては何気ない一言だったかもしれないけれど、その一言でほんとうに将来が変わった。そのまま「おとしまえプロジェクト」という名前で始動させました。

ただ、出版が決まるまではいろいろありました。三村さんや、知り合いのつてなどをたどって、いくつかの出版社に企画を持ちかけましたが、商業ベースには乗りませんとか体力がないとか……。こちらも一気に何社も断られるとメンタルがもたないので、ダメージが回復してきたら次、という感じで、一月に一社くらいの感覚でゆっくりやっていました(笑)。

二〇一六年の一〇月頃から出版社へのアプローチをはじめて、二〇一七年七月にようやく版元が決まりました。本に収録した写真は一三〇枚近くありますが、実際に撮った写真は一〇〇〇倍くらいかな。

写真選びと構成は全部自分でやりました。本の制作に関して譲れるところは譲って、譲れないところはこだわってやろうと。出版社を探し始めた時には、あらかた原稿はすでに書き終わっていたんです。だから、こういう本にしたいというビジョンは明確にありましたし、かなり実現できました。自由にやらせてくれて、よい出版社でした。

取材を始める前、後藤さんは取材ノートと原稿ノートを見せてくれた。「これが生の自分」と思い入れがあるノートをめくりながら「サハリンでは楽しいやりとり

も多く、滞在時と執筆時で、二回幸福を味わえた」と目を細める。家系図や畑に咲く植物の名前も書き込まれている。

一章を一カ月くらいのペースで、「おばあさん」と呼ばれるくらい歳を重ねた女性たちの、誰にも打ち明けることがなかったかもしれない半生をノートに手書きで綴っていった。取材時と執筆時には、お気に入りの青いペンで書き、清書はその文章をパソコンに入力していった。原稿完成までにペンは四本買い足したという。

本に登場する、サハリンの方々の反応について訊ねると、後藤さん自身も照れながらこう語った。

どうかなぁ。まぁ照れくさがっているというのはあるし、喜んでいたとは思いますが、リアクションは薄かったかな（笑）。自分たちが直接出ていると言いにくいというか、照れちゃうかもしれないですね。

写真展——彼女たちの人生を肯定したかった

本の刊行後にサハリン州立美術館で開催された写真展のスピーチも、後藤さんは現地に到着してから手書きで書いた。手書きの理由は、気持ちがことばに直結するから。

後藤さんはスピーチのなかで「彼女たちの人生を肯定したかった」と綴っている。

その四年前、本ができるまでの経緯を綴ったブログには、次の一節がある。

「やっぱり、美しい生き方に触れていたい」

美しい生き方とは、何か。その答えのひとつは、本の中でも明かされているように思えた。

「私にはいつも不思議だった。厳しい境遇の彼女たちがなぜ、そこまで真っ直ぐに明るく生きていけるのだろうかと。今思うと、私が何年もサハリンに通い続けたのは、彼女たちのその強さの理由が知りたかったのかもしれない。ある時そのことを何気なく知人に訊ねると彼女はこう答えた。

――きちんと向き合って、すべて自分のものにしてきたから」(『サハリンを忘れない』)

自分の人生って何だったんだろうって、彼女たちの中にはそんな思いがずっとあるんです。日本人でも、ロシア人でもない。日本に住んでいたら、日本人としての普通の暮らしや生き方があったはずなのにと、人生の最後にそういう思いを抱いている人がいることを伝えたかった。彼女たちの話を聞いてきて、中途半端なんかじゃないと言いたかった。なんていうかな、その人らしくちゃんと生きてきましたよね、自分に向き合ってやってきましたよねって、彼女たちの人生を肯定したかった。

会場はユジノサハリンスク駅からすぐのところにある、日本統治時代の北海道拓殖銀行豊原支店を戦後に改装して利用している美術館でした。サハリンの日本時代の建物で、実際にその時代に生きていた人たちの写真展をやるというのは、ちょっとことばにならないような感じでした。達成感というより、ここまで無事に本ができて、サハリンで写真展が開催できてよかったっていう安心感の方が大きかった。

代替行為としての表現

本を出版し、写真展を開催したいま、後藤さんはどんなことを思っているのだろうか。先日、一緒に晩御飯を食べた席で後藤さんは「何かしら表現をする人は、その背後に語りたいものがある気がする」と言っていた。このことばに込められた意味を、あらためて伺った。

例えば過去に、何かしらできなかったことや後悔していることがあって、その代替行為として表現をやっているんじゃないかと思うことがあります。その代替行為として、料理をする人もいれば、音楽を演奏する人もいる。そういうことを無意識に原動力のひとつにしているということは、誰しもあるんじゃないのかな。人それぞれの、そういう核心的なところを考えながら作品を見ていくと、もうちょっと深く見えるところがあるのかもしれない。

つまり、作り手の願望を表現するわけじゃないですか。〈何でもない日常〉ということを描く映画があるとすると、それを願うということは、実際にはそれがないということ。だから作品を作る。

おしとやかなメディア

後藤さんはサハリンを撮り続けることを「ライフワークとしかいえない」「あなたはなんで生きているんですか？　と聞かれる問いと同じような気がする」と表現した。「サハリン」と聞いて、いくつもの顔が浮かぶようになった。ただ、ずっと見ていたい——その想いを受け止めてくれる写真が自分を外に広げてくれたと、後藤さんはいま感じている。

私にとっての〈いい写真〉とは、人が写っているとすれば、その人個人の性格や考え方がにじんでくるような写真です。ファインダーを覗いて、シャッターを押すときに、すごくいい顔をしているなとか、その人らしさが立ち上ってくるような瞬間があるんですよね。写真は語りすぎない、とても良いメディアだと思います。でも、語ろうと思えばたくさん語れます。おしとやかなメディアです。

写真だけだと何年にこういうことがあったとか、こういう雰囲気で語ったっていうのは表現できない。だから文章も書く。ただ表現の形が違うだけで、自分としては写真を撮るのと同じことです。

サハリンに行ったからこそ思いますが、例えば、「あなたが好きです」と言うことば自体は、日本語でもロシア語でも韓国語でも言語が違うだけで、好きだと表現する気持ち自体は同じじゃないですか。それと一緒ですね。

サハリンについて書かれた本は多くありません。私の本がサハリンに対する最初のイメージになる読者もいるかもしれません。そういう読者にとっては、前にも話したようにハリウッド映画の悪役的な怖さとか危険さとか暗さではなくて、私の感じたイメージそのままで伝わって欲しいという思いがあります。だって本当にそのままだから（笑）。ただそれは、一般的にサハリンに対する情報が真っ白だからこそ、それを伝えた最初の人にしかできないわけじゃないですか。この本があることで、きちんと伝わっていくかもしれない。そういう意味での達成感はあります。

またサハリンは大陸に住む一般的なロシア人たちにとっても一風変わった場所と思われがちです。何だか暗くて寒いというイメージしかないようです。以前は日本と国境が近いため、ロシア人でも立ち入りを制限されていました。そういう意味でも、サハリンで暮らしている人々の内側からの視線を出したかった。でもそれを実現するには、一～二週間の滞在では足りないんですよね。外国のメディアが日本を紹介するとき、〈FUJIYAMA〉とか〈GEISHA〉とか、すごい固定的なイメージだけを伝えることがありますよね。それは違うんじゃないかと思うのと近いです。

テーブル越しに向かい合う距離感で

渋谷で初めて会った日も、いまこうして話を聞いているときも、後藤さんは本をめくりながら写真の配置に込めた意図や、写っている物事にまつわるエピソードを教えてくれた。まるで、映像編集でいうカット割りの話を聴いているようだと思ったとき、ひとりひとりの名前がタイトルのドキュメンタリー映画を観るような気持ちで本を読んだことを思い出した。多くの日本人が知らない話を聞いた後藤さんにとって、出会ったひとりひとりの人生を語り継ぐとはどういうことなのだろう。

そんなに重たく捉えていないというか。「こんな人がいたんだ」っていう感じで、身近な人の話を身近な人に話す。いまテーブル越しに向かい合っている、これくらいの距離感で伝えるというか、話す。

日本人全員に引き継ぐみたいな、大きなことは考えてないですね。考えられない。それは自分の話ではない。今後の表現活動なんかも、やりたいことがあって、できるならやるし、できなければ、やらない。サハリンには通い続けると思いますが。

ただ、私が思うに、写真で作品を制作するのにベストな時期って、おそらく三〇代から四〇代なんです。写真家として頭もほどよく柔らかいし、自分自身も程よく固まっていて体力もある。五〇~六〇代では、その人らしい確固としたものが出てくるんじゃないですか。そう考えるとその前の三〇~四〇代は大事だなと思います。一〇年をひとつの区切りだとすれば、あんまり時間がないんですよね。実際のところ、迷います。

本のエピローグに、こう書きました。

「もうあと10年もすれば、私たちはまたひとつの世代を見送ることになるだろう。その時にはこの写真の持つ意味もはっきりと理解できるのかもしれない」

この本に登場した方も次々と亡くなっていて、一〇年どころじゃないという感じです。出会ったからには必ず別れないといけない。出会った人たちの話、口調や表情だとかも含めて、この本に込められてよかったと思います。数年後、数十年後でも、後の人たちがこの島について調べるときに、たとえば研究論文とセットでこういう本があれば、ちょっと立体的に捉えられるし、捉えられてほしい。

サハリンは私を〈人間〉にしてくれた場所です。他の人はもしかしたら会社とかで鍛えられて〈一人前〉にしてもらうのかもしれませんが、何も知らず、何もできなかった私はサハリンで〈人間〉になり、色々なことを学びました。

取材の後、後藤さんの本に収録されている写真のポストカードを頂いた。ハツエさんの家で撮影された一枚は、わたしもとても好きな写真だった。夕暮れの光がカーテンの隙間から差し込んだペーチカ（オーブン）の上いっぱいに、庭で収穫した色鮮やかなイチゴが並んでいる。

五月末、後藤さんからメールが届いた。次は、ロシアのコニャックでも飲みましょうと別れてから二カ月の間に新型ウイルスは予想をはるかに超える速さで世界中へ拡がった。日本では〈新しい生活様式〉と〈夜の街〉が連呼されていた。

メールには、インタビューの補足事項に加えて、勤務先の写真館は四月から休業していると綴られていた。サハリンは外出禁止で、ゴールデンウィークに特別就航予定だった関西国際空港――ユジノサハリンスク便も欠航したという。

東京から北東へ一六〇〇キロのサハリンと、後藤さんが暮らすほんの三〇キロほど離れた街と、四五〇〇キロ南にあるマーシャル諸島が等しく遠くなった今――。デスクに飾ったポストカードを眺めながら、甘酸っぱいというハツエさんのイチゴの味を、毎日想像している。

ODAWARA Nodoka

8.

失敗の歴史、
破壊される瞬間と、
眠ってしまう身体

小田原のどか

二〇二〇年五月二四日　オンライン

長崎

――あの裸の女たちはどこからやってきたのか。彼女たちの物語を語りたい。

駅や公園などの公共空間に据えられている、裸の女性像。彼女たちはどこからやってきたのか。どうしてここにいるのか。なぜ裸の女性が平和を表わすことになっているのか。わたしは考えたことがなかった。小田原のどかさんはいう。「この国の公共空間には他国に例がないといわれるほど、裸体の彫刻があふれるようになった」(「彫刻を見よ――公共空間の女性裸体像をめぐって」artscape、二〇一八年)。

一九五一年、〈平和〉という名を冠された女性裸体像の第一号《平和の群像》が東京の三宅坂小公園に建立された。台座の上には、三人の裸の女たちがいる。作者は彫刻家、菊池一雄(菊池はのちに広島の平和記念公園に立つ《原爆の子の像》をつくる)。かつて三宅坂一帯は、大日本帝国陸軍の拠点だった。《平和の群像》として彼女たちが降り立つ前、同じ台座の上には、陸軍大将で総理大臣も務めた寺内正毅の彫像《寺内元帥騎馬像》が立っていた。作者は彫刻家、北村西望(北村はのちに長崎の平和公園にある平和祈念像をつくる)。戦時中、日本に一〇〇〇体近くあったブロンズ像は金属回収で消え、寺内像も例外なく溶解された。残された台座は戦後も再利用され、軍人像は裸婦像に姿を反転させた。裸と女と平和がいかにして三位一体となったのか――小田原さんが紐解く彫刻の近現代史を知ってから、彼女たちのうしろに、南洋の島で見た朽ちた大砲が浮かんでくるようになった。

「台座の上に大砲があるでしょう？　あの辺りは怖くて歩けない」

四年前、マーシャル諸島のウォッチェ島で暮らすエレンさんは、家のまわりを怖くて歩けないといった。小さな島の至るところに、七〇年以上前、日本軍が配備した大砲と台座が今なお据え置かれている。砂浜には錆び付いた砲弾や金属製の部品が転がる。わたしは立ちすくんだ。その景色を前に、いま想う。自然に還らない異物／遺物は、かつて軍人の像だったのかもしれない。

一〇歳の頃、この島から〈水爆ブラボー〉実験の光を見たエレンさんは「もう戦争は終わったの？」とわたしに訊いた。終わったのであれば、日本軍が持ち込んだものは「持って帰って欲しい」とも。

彫刻を作るアーティストとして、また彫刻を研究する研究者として、さらには版元を営む出版人として、小田原さんは彫刻の問題について「千年先まで議論することを私は夢見ている」と編著『彫刻 SCULPTURE 1――空白の時代、戦時の彫刻／この国の彫刻のはじまりへ』（トポフィル、二〇一八年）の巻頭言で掲げている。一〇〇〇年のはじまりに出会えた読者として、今回話を伺う機会をいただいた。

取材予定日は四月一〇日、この日は待ちに待った大林宣彦監督の最新作の公開日でもあった。大林監督の「戦争三部作」を観ていた小田原さんと、取材前に一緒に鑑賞する約束をしていて、とても楽しみにしていた。ところが、三月末には実現が危ぶまれていた。満開の桜を雪景色の中で眺めるという季節外れの寒気が到来した週末、都は外出自粛要請を出した。映画の公開は見送られ、取材も延期になった。

五月末、公開日は発表されぬまま、取材だけオンラインで決行することになった。麗らかな日曜日の午後。小田原さんは大きな窓の前に座っていた。瑞々しい若葉が風に揺れるのが見え、パソコンのスピーカーから鳥のさえずりが聴こえる。ワンクリックでつながってしまった小田原さんに、自宅から「初めまして」とお辞儀をする。こんな対面がしたかったわけじゃない。だけど画面越しにでも会えることがありがたい。素直に喜びがたいもどかしさを抱きながら、まずは小田原さんと彫刻の出会いからうかがった。

彫刻の原風景

私が生まれ育った宮城県仙台市は一九七〇年代後半から「彫刻のあるまちづくり事業」を始めました。都市の景観を彫刻家に見てもらい、一年に一体ずつ彫刻をオーダーメイドで設置する取り組みです。仙台駅前から並木道が続く定禅寺通りに、二〇〇メートルほどの間隔で緑と調和するように彫刻が置かれています。仙台市は空襲で中心地は焼け野原となりましたが、戦後ケヤキ並木が造成され、今では仙台のシンボルとなりました。人々の往来や四季の移ろいの中に彫刻がある景観が、私の彫刻の原風景です。

そんな仙台の彫刻のあり方が少し変わったものだったと気づいたのは、上京してからでした。たとえば池袋駅付近の彫刻は、あってもなくても一緒というか、人に見られるために置かれていない感じがどうしてもしてしまう。仙台で彫刻を見て育った自分には衝撃でした。

彫刻を学び始めたのは高校からです。幼い頃から彫刻と人との関わりに関心があったので、制作と同時に、なぜ人間は彫刻を必要とするのかを考えたいと思っていました。それには少なからず、校則が厳しい中学校に通っていたことも影響しています。制服や時間で管理され、同じ時間に同じ行動を強制され〈同じであること〉に身体をなじませなくてはならない中学校での生活をとても窮屈に感じていたので、校則のない美術科がある県立高校へ進学しました。息苦しかった中学時代に感じていた疑問が、その後の活動と研究にも影響していると思います。

制作と研究のあいだ

彫刻を作ることと同じくらい、彫刻の歴史や社会的な役割に関心がありました。ところが多摩美術大学の彫刻学科に進学したら、手技がとても重視されていました。彫刻の歴史や人間と彫刻の関わりなど、私が学びたかったことはほとんど教わることがない教育現場でした。

つまり、〈勉強する〉ということがとてもネガティブに捉えられていたんです。「勉強をすると野性が鈍る」というような指導をする教員もいました。そういった環境に疑問を抱き、大学院は東京藝術大学の先端芸術表現専攻に進学しました。そこで手技を重視する教育は、日本における彫刻の制度化と深く関わりがあるものだと気づくようになりました。同時に、西洋美術史でも日本美術史でも、美術の世界では絵画が中心で、彫刻の文献や言説がなぜかとても少ないことを知りました。

藝大で教えを受けた小谷元彦さんは、近代の彫刻に対して問題意識を持って制作と研究をしている方でした。学生のなかにも、既存の制度に疑問を持ち、制作を通して構造や仕組みを捉え直していこうと制作する人もいて、影響を受けました。

とはいえ、藝大ではアーティストとしての教育は受けることができても、論文を書くことはほとんどまったく適切な指導はされません。それで総合大学に行ってみようと、筑波大学の博士課程へ進学しました。筑波大は制作環境もある点が魅力だったので、制作も同時にやろうと入学したのですが、私のように現代美術の文脈で活動をする院生はほとんどいませんでした。公募団体展に所属して、賞を取ることで研究論文が免除されるような審査基準で大学は動いていたので「審査の基準がまだないので、制作はしないで」と言われてしまい、本当に苦しみながら博士論文の執筆に取り組みました。

あえて〈彫刻家〉と名乗る

一〇〇年前、日本は世界で最も銅像が多い国だった。都市の近代化とともに銅像は〈国民的記念碑〉としての役割を担い、為政者の歴史が刻まれていく。世界の彫刻も、古来多くが〈モニュメント〉であった。モニュメントの語源はラテン語で〈想起させる、記憶すること〉。小田原さんはその語源を紐解くように、彫刻のはじまりを丹念に追いかける。

編著『彫刻1』は、彫刻と戦争のかかわりを問うために編まれた類を見ない一冊だ。小田原さんは作家、研究者に加え、出版社経営まで自身で行うことで「理論と実践、研究と現場をつなぐ」ことを目指す。いくつも肩書きを持つ小田原さんは、意識的に〈彫刻家〉と名乗ることを大切にしていた。

私は大声で怒りを表現するタイプではありませんが、既存のスタイルに当てはめられることに対する抵抗感や違和感は強く抱いていました。勉強すると感性が鈍るというような教えにも異議を唱えたくて、そういった現状をどうやって変えていけるのかと考えていました。そのひとつに、美術作品の制作や論文の執筆に加えて、二〇一一年に友人たちと立ち上げた出版社があります。

きっかけは、展覧会のカタログを自分たちで作って販売したいと思ったことでした。ちょうど東日本大震災の後だったので、一緒に立ち上げた友人たちと多くの方の死を悼むとともに、震災で明るみになった問いをどのように残せるのかという視点から、地理学者イーフー・トゥアンの〈トポフィリア（topos：場所＋philia：愛）〉ということばを引用する形で、〈トポフィル〉と出版社の名前を名付けました。

私は「彫刻」ということばは、早晩消えてしまうと思っています。たとえば、新しく美大ができるときに、彫刻専攻はほぼ置かれません。立体アート専攻や総合造形専攻、彫刻・フィギアコースという別の名前の中に吸収させていくことが、すでに美術教育の現場で起きています。

洋画ということばは、もともと西洋画という絵画のジャンルとしてありました。いまはほとんど解体されてしまって、とくに一般の方にとっては海外の映画という意味しかないほどに、ことばの力が弱まっています。彫刻もいずれそうなっていくでしょう。彫刻ということばがなぜ必要とされたのかを問い直していかないと、彫刻がなかったことにされてしまうかもしれない。そういう危機感から、あえて意識的に〈彫刻家〉と名乗っています。

〈ここにある〉ことを示す《↓》

私にとって彫刻とは、その作家しかなしえない技術の結晶であるとか、作業の工程がものすごく複雑で労力がかかるというような、作者の特権や努力の結果ではありません。むしろ、そういうことは私にとってほとんど意味がありません。ある場所にあるモノがあって、それを見る。仙台の風景のように、人も木々もすべて移ろい通り過ぎていく。それなのに、彫刻だけがまったく変わらずに立っているのです。そのことが〈彫刻がある〉ということの根源的なモデルなのではないか。そうすると、形としては〈ここにある〉ことを示す矢印の記号だけで十分だと考えて、下向きの矢印《↓》をモチーフにしたシリーズの制作を二〇〇八年からはじめました。

自分だけがなし得る技術という束縛からも離れようと、彫刻作品を発注で作ったり、鉛筆や消しゴムを素材に選んで作品を作っていました。鉛筆を削ること、消しゴムで消す行為も、とても彫刻的な経験だと捉えているからです。消しゴムで何かを消すというプロセスや、その結果の消しゴムのかたちも、重要ではありませんよね。何かの思考の痕跡を消したいとか付け加えたいという時に、形が削られて消しゴムは形を変えていきます。だから消しゴムが次第になくなっていくということは、とても彫刻的で、あらゆる人が彫刻の経験をしていると考えています。物質性をどんどん希薄にしていきたいと思っていた時期にはガラスを使ったり、屋外で展示をしたときには、ステンレススチールを鏡のように磨いて周りの風景が映り込むように置いたり。そのように物質性や固有性をなくしたくて、彫刻のありかを概念として示す単純な矢印の記号で作っていました。

こんなふうに言うと、自分だけの形を作る喜びはないんですかとよく訊かれます。でも私は、そういう作る快楽に従順になっていくことに抵抗があるんです。

高校生の頃は、粘土で自分だけの形を目指していたときがありました。でも、これを一生はできないと思ったんです。自分が作りたい形は作れるんです。難しいことではまったくない。だからこそそれだけをずっと続けていけば、どこかで絶対嘘をつくことになるなと思ってしまった。そう思ったときに、私は技術や造形を重視していくタイプではないと気がつきました。最初は、その発見に絶望感がありました。そこにずっと沈殿していられたなら、それはそれで幸せだったかもしれません。でもやっぱり自分に嘘をつきたくない、我慢できないからこそ、アートをやっているんだと思うんです。いろんなタイプの彫刻家や作家が、さまざまな制作をしている中で、私みたいなタイプがいてもいいんじゃないかと。

ただ一方で、戦前戦後の彫刻家の振る舞いについて考えると、作り続けることを至上にして、作る快楽に沈殿してしまったことへの反省が、あまりにもないなと思うわけです。制作は楽しく、作品が永久に保存されるのは素晴らしい、そう素朴に思うことがあまりにも危険であるということは言っていかないといけない。そう考えるようになったのは、長崎に出会ったからです。

爆心地・長崎から彫刻を問う

小田原さんは《↓》シリーズの作品を通じて、長崎と運命的な出会いを果たす。原爆投下後、長崎の爆心地に小田原さんの《↓》作品とそっくりなオブジェクトが存在していたのだ。その事実を知った小田原さんは、長崎を訪れて調査を始めた。最初の爆心地標は瓦礫の中にあった煙突の破片に「爆心　Centre」と書き、爆心地点に突き刺したものだった。しかし二度、何者かによって持ち去られてしまい、今度は盗まれないようにと一九四六年に「原子爆弾中心地」と書かれた高さ約五メートルの大きい矢を模した標識が立った。小田原さんは

当時の記憶を持つ人にも話を聴き、その標識は長崎市民がつくりたかった慰霊塔に変わるものであったことを知り、こう述べる。「戦後の公共彫刻の起点としてこの矢形標柱を捉えたい」（「第三章　戦争から生まれた彫刻をめぐって」『アートライティング5　記録資料と芸術表現』藝術学舎、二〇一九年）

長崎の爆心地点に矢羽の標柱があったという事実を知って、今まで抱いていた考えはひっくり返ってしまいました。長崎の彫刻について知る前は、観るという経験をフラットにすることを意識していたからです。たとえば神戸の山の上でも東京のギャラリーでも京都の大学の施設でも、矢印の記号《↓》の前に自分が立って矢印を見ることで、すべての場所が等しくなると思っていました。それは、あらゆる場所の歴史性や固有性を無化することでした。

ところが、原子爆弾が長崎市松山町の上空五〇〇メートルで炸裂した一年後の一九四六年から二年間だけ、《↓》シリーズの作品とよく似た矢形標柱が爆心地に立っていたことを知って、彫刻空間の意味合いが私の中で大きく変わりました。設計者不明で、慰霊塔でも作品でもなく、単に「原子爆弾中心地」と書かれただけの矢羽の標柱が、私には彫刻のように見えて仕方がなかったのです。

それまで長崎を訪れたことはありませんでした。平和祈念像があるくらいしか知らず、原爆の歴史もあまりにも自分と距離があって、何を考えていいかもわかりませんでした。けれども、東日本大震災と《↓》の作品が転機となって、長崎の歴史をもっと知りたいという思いが生まれました。震災時、私は東京にいましたが、来るべきものが来たと感じました。幼い頃から宮城県は地震が来ると言われていたので、両親は海沿いではなく山の方に家を建てていました。一方、高校の同級生には家族が亡くなったり、家を失った人がかなりいました。三月一一日についての作品を何か作るべきなのかと考えましたが、すでに多くのアーティストたちが被災地に入るようなかたちでも行動を起こしていて、ある意味で救われたというか、ちょうど〈地元〉から離れて他のアーティストとはまったく違うことをしたいと考えていた時期でもあったので、以前学芸員の方から教えてもらっていた長崎の矢形標柱について取り組んでみようと決めました。

井の頭自然文化園内の彫刻館に、長崎の平和祈念像を制作した北村西望のアトリエと像の**原型**があるとわたしが知ったのは、**高校生の時**だった。アトリエの天井に届くほどの高さ約**九メートルの石膏原型像**を、**大仏を見上げる**ように**見た**ことを憶えている。**北村**は一二メートルの像を**目標に掲げて**いたが、**予算が足りずやむなく変更**したという。これ**以上大き**いものを**目指し**ていたのかと、その**巨大**さにただ**圧倒**された。**堀田善衛**は「あれが**表象**するものは、**断じて平和ではない。むしろ戦争そのものであり、ファシズムである**」と評し、**黒澤明監督は「あまりに酷くてカメラマンもとても撮る気にならない」と述べた。彫刻館には北村の戦前から戦後にかけての作品群が並び「逞しく、力感溢れる男性像」（「北村西望と井の頭自然文化園の彫刻」井の頭自然文化園、二〇一八年）の作風が一貫していることを一望できる。戦前戦中にわたり、戦意高揚のための軍人像などを数多く手がけた北村の平和祈念像には、「祈りをささげることなどできない」と像に立ち寄らない市民もいる。しかし彫刻によって生み出されてしまった長崎市民の分断は、これだけではなかった。**

戦後日本の彫刻を考える上で、長崎は最も重要な場所です。長崎の原爆碑の調査のため、二〇一四年に初めて長崎を訪れました。とにかく爆心地が彫刻で溢れていることに驚きました。男性の裸体を神格化した平和祈念像も驚くべきものですが、すぐそばの爆心地公園にある、北村西望の弟子だった富永直樹の母子像の彫刻を見たとき、本当にびっくりしました。写真で見ると、誰かを刺激することもない、とくに問題がないような図像です。でも実際に行ってみると、あまりの巨大さや中心地碑を見ているわけでもない方向の無意味さなど、すべてに強烈に違和感を覚えて、その足で県立図書館へ行きました。郷土資料課の職員の方が母子像をめぐる裁判記録をまとめた五冊くらいのスクラップブックを作っていました。そこで初めて、母子像の撤去を求めた裁判があったことを知りました。

「この彫刻は見なくていいです」。爆心地の遺構をめぐるツアーガイドは、母子像を指してそう小田原さんに言ったという。そのことばを耳にした小田原さん自身、さまざまな場所に設置されている裸の女性像を「見なくてもいい彫刻」として無意識にとらえていたことに気づく。公共空間における女性裸体像の歴史を紐解く旅は、長崎からはじまっていた。（「彫刻を見よ」より）

この話を読んだとき、わたしは中島敦が、サイパンから息子に送った一枚の絵葉書を思い出した。中島は一九四一年に南洋庁の国語編修書記として、現地の子どもが使う〈国語〉の教科書を作っていた。サイパン島のサトウキビ畑の真ん中に銅像がある写真の絵葉書に「まん中のどうぞうなんか　どうでも　いいのです」と中島は綴った。現在もシュガー・キングパークに「砂糖王」と呼ばれた松江春次の銅像はあるが、植民地支配を象徴する松江の銅像とともにこの島の歴史を想起する未来を、中島が望まなかった心境がうかがえる。

母子像の撤去を求めた市民団体による裁判は一九九七年から二〇〇四年まで続きました。その前段として、一九九六年に長崎市が原子爆弾落下中心地碑というモニュメントを撤去して、新しく大きな彫刻を作ると公表しました。その時に住民からものすごく大きな反対運動が起きています。

結局、原子爆弾落下中心地碑は撤去を免れますが、そこから離れた場所に母子像は建ち、平和公園はいっそう平和彫刻公園の色を強めます。これほど重要な出来事がまったく教えられないという彫刻教育に対する不信感、人と人が彫刻によって分断され、彫刻をめぐって衝突する歴史をまったく知らないまま彫刻を作っていた自分に、恥の気持ちが渦巻きました。

平和祈念像を作った北村西望たちは、戦争中に戦意高揚のモニュメントを作り、戦後はほとんど反省せずに平和をうたった彫刻の制作を続けることができたという現実があります。そういう彫刻家の振る舞いを、個人的な資質の問題としても検証しつつ、しかしそういった彫刻家を断罪して終わりにしてしまうのは違うと私は考えています。

北村西望が平和祈念像を作ったのは、長崎市から要請があったからで、制作募金は長崎の住民によるものです。北村西望の彫刻家としての――それは純粋さかもしれませんが――作ることに至上の正しさがあるのだという発想に加えて、市からの要請と、北村が長崎県出身であることなど、構造的な問題があるからこそ、そういう振る舞いが許され、いまでも問題提起はありますが、根本的な議論には至らないということがあるわけです。

だからといって、平和祈念像を撤去してしまおうという意見にも私は反対です。平和祈念像があることによって、どうして平和祈念像は機能しないのか。平和祈念像がある長崎とは何なのかを話し合うための検証材料になる。そのような問題提起こそが、いま必要とされていることです。そういうことをすべて含めて、彫刻の問題を議論していかなくてはいけないと思っています。

彫刻が見えなくしているもの

長崎では〈長崎原爆の戦後史をのこす会〉の方々に同行して、標柱の記憶がある被爆体験者の方へ聞き取りをしました。その際にも、社会の構造や要求が、個別のディティールを覆い隠してしまっていると気づきました。

たとえば、戦後の長崎では「原爆は浦上に落ちた」と言われました。長崎の地形は広島とはまったく異なります。平地が少なく、原爆の被害も同心円を描きません。そしてここに宗教と差別の問題があります。浦上地区のカトリック信者への差別意識が根強く残っていたこともうかがえるさきほどのことばから、長崎市民が一体感を持って長崎の街に原爆が落ちたと感じていないことが読み取れます。

それは今の長崎にも顕著に表れています。長崎駅から観光案内所に行くと、長崎にとって推奨したい観光ルートは海のほうなのだと気付きます。原爆投下前の長崎——幕末に長崎を訪れた坂本龍馬や、文明開化の華やかな港町を推していきたいという思惑を強く感じます。そこには長崎と浦上の歴史の輻輳性があり、そのなかのひとりひとりの個別の生の語りがあるのですが、平和を祈念する、あるいは戦後日本の礎となった〈尊い犠牲〉であるというロジックのもとに、その個別性が一元化されていくのです。

平和や尊い犠牲という美名のもとに、証言者の方々に繰り返し語ることを求めること自体、暴力的な面をもっています。そしてそういう一元化・単純化に爆心地の彫刻が加担している面があるわけです。とりわけ長崎の彫刻は平和祈念像をはじめ〈平和〉をタイトルにしたものが多くありますが、〈平和〉ということばの裏に何が隠されているのか。〈平和〉と冠された彫刻が、長崎の語りづらさを加速させていると感じます。

広島の原爆ドームも人の手が入っているのでまったく当時のままというわけではありませんが、それでも戦跡として残されたものを見て当時のことを考えたり話し合うような余地が残されています。でも長崎は、平和公園で平和祈念像を見ただけでは、被爆の複雑さをたどることにはほとんどなりません。

本当に重要なのは、あの平和祈念像の手前にある刑務所の遺構や、残されなかった浦上天主堂とその周囲に散らばった被爆聖像です。しかし、そういうものを彫刻が見えづらくしている。証言者の人たちの話を聞きながら、見えなくしてしまった場所で生きていた方々の個別性に蓋をしてしまっている彫刻とは、一体何なのかと考えました。

何より、長崎で被爆体験を直接聞くことができたことは、私の人生にとってとても大きなものであり、体験でした。彫刻について知りたい、考えたい、つくりたいと思ってきた人間として、長崎の彫刻の問題を自分の問題として引き受けたいと覚悟が決まりました。

彫刻がいちばん輝く時

〈完全な美〉みたいなものを指して「彫刻のよう」という表現がありますよね。最近は「CGのよう」という言い方に変わってきている印象もありますが、「彫刻」と聞いたときに何を思い浮かべるかは、時代とともに変わっていきます。私はそういう移ろいやすさこそが彫刻の真の意味だと思っています。

金属製の彫刻は、長い時間残っていくように思われていますが、実際は戦争のための資源として、転用されてきた歴史があります。金属供出でお寺の鐘や銅像が砲弾や兵器に姿を変えていきます。

また、たとえば独裁者の像が引き倒されたり、南北戦争の南軍の英雄像が黒人差別を称揚していると撤去されたり破壊されたり、あるいは英雄だったコロンブスの銅像が今は植民地主義者の象徴だと問題視されることが起こっています。

彫刻は破壊される時にいちばん輝くと私は考えているのですが、彫刻がいかに移ろいやすいか――つまり彫刻を見る私たちがいかに移ろいやすいか――そしてどれだけ彫刻を見る私たちが変われたのか、歴史観が前進したのかが破壊の瞬間にこそはっきりすると思っているからです。とはいえ、破壊や撤去をして最初からなかったことにするのではなく、損傷や破壊の痕跡を残すことで、注釈を加えて残していくのがいいとは思いますが。

古代ローマの詩人ホラティウスは自身の『歌集』に「私は遂に記念塔を完成せしめた、青銅より歴史に残る記念塔を」と記しています。はるか昔から詩人たちは、モニュメントは永続するものではなく、ことばこそが永続すると言っています。そういう考えにはとても共感できます。なぜなら私は、彫刻は残らなくていいんじゃないかと思っているからです。

たとえば大きな厄災があったときに、それを忘れないために何かを残しておくことはありうるでしょう。でも、ある具体的な人物の造形を永久に残しておこうといった考え方は、その時は成立するかもしれませんが、私たちが絶えず進化して被抑圧者が声を上げやすくなることで、また絶えず政体が変わっていくことで、彫刻の破壊は必然的に起こっていく転換の端的な現れだと思っています。

現在から歴史を紐解いていくと、失敗が重なっていまの歴史があることがわかります。特に彫刻では、失敗・衝突・拒絶・破壊が繰り返されてきました。それらが起こる瞬間にこそ価値があり、いつ・どのように・なにが破壊されたのかを紐解くことに意味があると考えています。

「**日本に敗戦の記念碑を、国立の戦争博物館をつくるための議論は歴史認識の分断の直視からしか始めることはできない**」(「不可視の記念碑」『群像』講談社、二〇二〇年九月号)と語る**小田原さんは、失敗とともにありながら、その失敗に光を当ててこなかった**〈彫刻の問題〉と**向き合う。見据える先は、一〇〇〇年後だ。**

ここから一〇〇〇年先まで議論が続くことを夢見るとき、直接体験していない/かかわっていないことへの責任をどこまで引き受けるか?　という問いに「**最近、よくそのことを考えています**」と**小田原さんはやや声色を変えて、ことばを続けた。**

先日、ある新聞に寄稿した際、小説『キャッチャー・イン・ザ・ライ(ライ麦畑でつかまえて)』の印象的なエピソードを引きました。主人公のホールデンが高校の先生から大切なことばをかけてもらって、そのことばを覚えていないといけないのに、身体が言うことを聞かなくて眠りこけてしまうという描写があるんです。過ちを繰り返すなとか、反省しろとか、過去を知れとか、いくらお説教を言われても、それが大切なことだと知りながら眠ってしまう。そのような身体に、私は関心があります。

昨年あいちトリエンナーレに作品を出品して、自分自身が分断の渦中に立たされたときに、日本の戦後教育がうまくいっていないことを直視しました。アーティストの中にも歴史観の後退みたいなものが著しくあり、アジアの他の作家達と戦争や歴史について話すことができなくなりつつある。それに対する強い危機感があります。その思いから彫刻を通して、大日本帝国の植民地支配の歴史を考える文章や近代化をめぐる彫刻の問題について書いたり作品を作ったりしていますが、一方でそれだけでは限界があるということを実感しました。

聞かないといけないのに拒絶してしまう身体について、真剣に考えていかなければならない、と思ったんです。

日本は同質性が高いので学校教育はみなが同じになることを推奨しますし、ひとりひとりの差異がとてもネガティブに捉えられてしまう傾向があります。それにより、ヘンだなと声を上げること、他者との意見の相違を議論すること自体もとてもネガティブなものになってしまっている。

私が「彫刻とは失敗の歴史だ」と言っているのは、失敗や躓きを避けるべきものとして忌避するのではなく、避けることのできないものとして捉え直して、侃々諤々やること自体に価値があるんだということを強調していきたいからです。

知れば知るほど、彫刻はまったく永続などしないし、様々な失敗とともにあることがわかります。だからこそ、失敗をネガティブなものとしてなかったことにするのではなく、それを解きほぐしていくことがすごく面白いと思うのです。そこにこそ考える価値があり、過去の事実を知る面白さがあります。

彫刻は、日本の暗部といってもいいような歴史を背負いこんでもいます。その暗部を紐解いていけば、彫刻を手がかりに人々が暗い歴史にアクセスするためのよい材料になるかもしれません。

とはいえ、彫刻はわかりやすいフォーマットではありません。彫刻は基本的には物語を持てないので〈虚構〉ではないのです。虚構ではないということは、映画を見て泣くということはあっても、彫刻を見て泣くということはほとんどない、ということでもあります。ですから、彫刻に携わる者として、〈語り〉をつくることをしないといと思うのです。私は人間が何かを見て激しく感情を揺さぶられたり泣いたりすることが、鑑賞行為の中で崇高なものとは考えません。むしろ、それは非常に危険なことであると考えておかなければいけないと思っています。彫刻を見る身体はとても自由に動き回れます。映画ではそうはいきません。どちらが芸術の形式として優れているということではなく、情動を喚起する表現とはまた異なる存在として、身体の問題を考えるときに彫刻が何か重要な手がかりを備えていると思うのです。

何より彫刻は、儀礼とセットです。儀礼があって初めて彫刻は機能します。儀礼がなくなった時にモノとして残っていても、本来の機能を読み解くことや追体験は難しくなります。彫刻が作られた意味、作られるまでの背景に何を背負っていたのか、彫刻がこれほど破壊されても地上に降り立ち続けていることの真の意味を私たちがどれだけ忘れてしまっているかを考えると、まだまだやるべき仕事があるなと思えます。

彫刻を見ていると、常にそういうことを考え続けていくことが必要なんだよと言われているような気がするんです。人も歴史もこんなに移ろっているんだよ、変われるんだよ、という声が聞こえてくるようです。永続しないということは、常に変わっていけるということです。実際に人の歴史とはそのようなものであったと思います。

権力を誇示するために作られた絶対王政期の彫像を、いまは美術作品として鑑賞できるのだって、彫刻が作られた当時の価値観と現在に距離があるから、それを見る人が変わったからです。歴史との距離感を身体をともなって観賞、体験できるのが彫刻というものの特性なのだと思います。その意味で、さきほど言った〈眠ってしまう身体〉のままならなさみたいなものをポジティブに捉え直すことが、彫刻を通じてできるかもしれません。彫刻そのものだけでは〈語り〉を持つことができないからこそ、彫刻の歴史をもっと楽しんで知っていきたい。そこにことばを尽くす意味があると感じています。

取材の直後、白人警官によるジョージ・フロイド氏殺害事件に端を発し、米国から世界中へ拡がった人種差別抗議デモＢＬＭ（Black Lives Matters）で、かつて英雄とされた人物の彫刻の撤去や破壊が相次いだ。ニュースで彫刻が〈輝く〉瞬間を目の当たりにしながら、わたしは四年前にエレンさんの家の近くで見た、ある石碑を思い出していた。

その碑は民家の入り口の踏み石として使われていた。灰色の石の色と細長い形から、最初は墓碑のように見えた。住民に了承を得て、石を回転させてみると「誠隊殉歿者之碑」と文字が刻まれていた。だが、その上が欠けていて、この碑が何を慰霊するために作られたのかわからなかった。

帰国後、井上亮『忘れられた島々――「南洋群島」の現代史』（平凡社、二〇一五年）を読み、その碑は戦前に飛行場建設を担った受刑者の部隊「赤誠隊」の犠牲者を弔う碑であったことを知った。「囚人でもお国の役に立てる」と説き諭され、「島全体が一つの刑務所」となった時代――囚人と島民の接触を避けるため、島民は他の島へ強制移住をさせられていた。慰霊碑から踏み石へ。囚人たちの記憶のために作られたことは忘却され、島民たちの暮らしの一部となって、石碑は生きながらえていた。

この碑を思うとき、「うつろいやすく、ややもすると失語を患うそれらは、歌われ、語られ続けることでこそ存続することができる」（「われ記念碑を建立せり――水俣メモリアルを再考する」『現代思想　臨時増刊号』青土社、二〇二〇年二月）と語る小田原さんの声を思い出す。さらに、この碑の未来を予言するかのようなことばを小田原さんは「不可視の記念碑」に書き残している――「「発見」されつづけることを恐れないことの記念碑が必要だ。恥ずかしさに耐えつづけることの記念碑が」。

HATASAWA Seigo

9.

四隻の船と、青森から航路をひらく

畑澤聖悟

二〇二〇年六月五日　オンライン

それは、世界でも珍しい鉄道連絡船だった。青森と函館を繋いだ青函連絡船は、船の中に丸ごと貨物車両を載せ、国家の大動脈として活躍した。総航行距離は地球二〇一九周分。空襲による沈没で壊滅状態に陥りながら復興を遂げたものの、青函トンネルが開通した一九八八年、八〇年の歴史に幕を閉じた。終航の年に生まれたわたしは遺された記憶と記録でしか、青函連絡船を知らない。だが廃止から三〇年が経った今も、人々の記憶の中で青函連絡船は航海を続けている。

青森を拠点に活動する畑澤聖悟さんは、劇作家・演出家、放送作家、高校の美術教師兼演劇部顧問、劇団渡辺源四郎商店店主と四足の草鞋を履く。草鞋というより、四隻の船を持っていると言った方がふさわしいかもしれない。脚本を担当したラジオドラマで文化庁芸術祭大賞、ギャラクシー賞、日本民間放送連盟賞など、多数受賞。顧問を務める演劇部は、全国大会で過去最多の受賞回数を記録。高校演劇の枠を超えた演劇界の事件と称される作品から、青函連絡船の記憶を演劇で伝える活動まで、船の中や路上さえも舞台にして上演という名の航海を繰り広げる。

二〇二〇年二月九日、渡辺源四郎商店第三二回公演『どんとゆけ』『だけど涙が出ちゃう』を観に、香川県善通寺市を訪れた。会場の四国学院大学で講師を務める畑澤さんは、公演とあわせて高校生を対象にしたワークショップも開催していた。大学のキャンパスは旧日本陸軍第一一師団基地の跡地にある。公演の間の休憩時間に、キャンパスに隣接する偕行社へ足を伸ばす。偕行社は一〇〇年前、陸軍将校の社交場として建設され、重要文化財となった今は、結婚式場としても利用されている。カフェの焼きドーナツで腹ごしらえをしながら、大正一一年にここで行われた特別大演習を参観する皇太子（のちの昭和天皇）の写真と、令和元年に撮影された新郎新婦のブライダル写真を眺める。死刑囚との結婚を繰り返す女性が主人公の公演を観た直後であっただけに、なんだか遠い世界の景色に見える。

『どんとゆけ』は、被害者の遺族が死刑を執行することができる〈死刑員制度〉という架空の制度をめぐる物語で、『だけど涙が出ちゃう』はその前日譚で劇団のドラマターグを務める工藤千夏さんの作・演出だった。劇中で死刑執行員の迷いと苦悩、知られざる事実が明かされた時、誰も責任をとらない仕組みのもとで死刑が行われ、国民の八割がそれを支持するこの国に響く不協和音が聴こえた気がした。

戦前、この地で演習した師団の一部は、かつて大宮島と呼んだグアム島で敗戦間近に全滅した。戦争と死刑制度——国家によるふたつの殺人について考えながら、琴電に乗り換える。山の向こうに、陽が落ちてゆく。〈芝居　なべげん〉の酒屋前掛けを付けて、威勢のよい声で挨拶する畑澤さんの姿を、次は本拠地の青森で見ようと思った。

「我々は東京でなく青森で生活することを選び、同時に演劇を生活の中心に置くことを選んだ。そのためには自立した社会人となり、仕事を持たなければならない。そして青森だけでなく東京やいろんな街で公演を打ち、作品のクオリティを証明し続けなければならない。どちらも地域の力となり、地域を守る仕事である。今回、1つを諦めたが、1つを貫くことはできた。そう考えている」（ステージナタリー、二〇二〇年四月二九日）

東京と青森で、計一一ステージを予定していた渡辺源四郎商店第三三回公演『大きな鉞の下で』の一年延期という苦渋の決断に至った想いを、畑澤さんはこう語っている。五月に東京で観劇して、青森で取材させていただく予定を立てていたが叶わぬ夢となり、東京で生活するわたしは五月末、五二日ぶりに通勤で電車に乗った。密を避けられない車両で、家族以外の人と肩を並べる。以前は疑問に思うことがなかった身体的な近さに、新鮮な違和感を覚えた。

「北朝鮮による拉致被害者家族連絡会」を設立した横田めぐみさんの父、滋さんの死去が速報で流れた夜、畑澤さんは誰もいない稽古場からインタビューに応じてくださった。渡辺源四郎商店のドラマターグを務める工藤千夏さんもご自宅から同席された。「こんな画面の前じゃなくて、会って話したいよねぇ」。畑澤さんのことばに「そうですね」と返す以外に術がない。わたしの胸もきゅうっと詰まる。

集まること自体が難しくて、かなり逆風が吹いていると感じています。

我々は普段、教員、店員、看護師など仕事をしながら演劇をやっています。それぞれの職場のことを考えて、緊急事態宣言が出る前に公演の延期を決めました。

地域で生きることと演劇をやることが、こんなかたちで天秤にかけられる日が来るとは思っていませんでした。

出会い、触れ合い、同じ空間を共有するという、あたりまえにできていたことができない。演劇そのものを封じられているようです。他の劇団と同じようにリモートで稽古をしていますが、心身の不調を訴える人も出てきた中で、どうやって劇団を維持していくかに直面しています。

私が勤務する県立青森中央高校の演劇部は、幸いにも教室三つ分くらいの広い空間を与えられているので、窓を開け換気を良くしたうえで、マスクをつけて稽古をしています。広い屋外でソーシャルディスタンスをしっかり取って稽古ができるのも、田舎のアドバンテージでしょうね。いま、東京の劇団は稽古もできない状態だと聞いていますが、僕には演劇部があって、生の現場に触れることができている。幸せです。だけど一三人いる新入生の顔が、まだ見分けられない。ずっとマスクをしているから。先日、一〇〇円ショップのサンバイザーを部員全員で改造してフェイスガードを作ったのですが、その時初めて素顔を見た。「お前そういう顔していたのか」ってな感じです。

常に状況を逆手にとって新しいことをやろうと、学校でも稽古場でも知恵を絞っている毎日ですが、やりたいのはリモート演劇じゃないんです。話し合いの過程を描くことが好きなので僕の劇作は、いわゆる会議モノが多い。リモート演劇にも向いていると（ドラマターグの）工藤は言うのですが。

一番辛かったのは、上演できないかも知れない芝居を書くということでした。この状態がこの先何年続くかわからないと思うと、気が滅入ります。でもそうも言ってはいられないので、屋外でやれる環境を作るなど、どうにかして生の人間を見せる方法はないかと考えています。知らない人と出会ったり、芝居のことを語り合ったり、役者から早く書けよってプレッシャーを受けたり、人とワイワイするのが好きなんです。稽古場って素敵な空間だったんだなと、あらためて感じています。

イラク戦争と『修学旅行』

青森の高校教員になって演劇部の顧問になったのが一九九六年、三〇歳を過ぎてからです。演劇は大学からやっていましたが、それまで劇作をしたことはありませんでした。

高校演劇には、戦争を扱った作品が多い。1／3が戦争モノという大会を見たことがあります。二〇〇三年にイラク戦争が起こって、世界が大変なことになっていたとき、高校演劇の世界では変わらず原爆、空襲、特攻など太平洋戦争の話ばかりやっていました。

「平和とは、どこかで進行している戦争を知らずにいられる、つかの間の優雅な無知だ」と、アメリカの詩人、エドナ・セントビンセント・ミレーは一九四〇年に書きました。過去の日本の戦争は高校生に関係あるけれども、日本以外の国で現在起こっている戦争は無関係なのか？　そんな疑問から『修学旅行』を書きました。二〇〇四年、フセインが拘束されてゴタゴタしている頃です。修学旅行で沖縄へ行き、旅館の同部屋になった青森の女子高生五人が、枕投げをしながら他愛もない喧嘩をする芝居です。創作の動機は、どうやったら青森の高校生に、いま起きている戦争を我が事として考えてもらえるかということでした。戦争を全面に表出させず、戦争が起こるメカニズムを旅館の部屋で再現し、高校生の喧嘩が当時の世界情勢の暗喩になっているようにしました。

クライマックスではたくさんの枕が銃弾のように飛び交います。イメージしたのはイラク戦争開戦時、バグダッドの夜景のなかでロケット弾の閃光が飛び交っている映像でした。それに先立つ湾岸戦争はニンテンドー・ウォーと呼ばれましたが、テレビゲームのなかのようで現実感がまるでない。このリアリティのなさをどうやって身近に感じさせることができるか。

沖縄を舞台にした理由は、沖縄の米軍海兵隊がバグダッドに派遣されているという報道があったからでした。イラク戦争と密接に繫がっている場の力を借りようと思ったんです。ところが数年後、バグダッドに最初のミサイルを撃ち込んだF16戦闘機は、実は青森の三沢基地から出撃したことが明らかになりました。沖縄の場の力を借りる必要すらなくて、青森とイラクはF16でつながっていました。青森の高校生に当事者性をもってほしいと考えていたのに、自分自身が甘かったというか、戦争が他人事じゃないとあらためて実感しました。

こういうことを高校生にどう伝えたらいいのか。そう考えたことが、高校生たちが作る青森空襲の芝居につながっていきます。

7月28日を知っていますか？

畑澤さんが顧問を務める青森中央高校演劇部は、二〇一五年から毎年『7月28日を知っていますか』を上演している。ＲＡＢ青森放送が二〇一九年に放送した番組では、新入部員を迎えた四月のミーティングで「七月二八日が何の日か、言える人？」と畑澤さんが訊ねる。

いつもは畑澤さんが書く脚本を、今回は手を挙げた部員らが当時を知る方へ取材し、自分たちの手で作っていく。上演日は七月二八日。会って、訊いて、見て、書いて、演じて、考えて、想像する。そんな歴史実践を通して、部員たちは七〇年前のその日、生きたいと願いながら死んだひとりとなる。そして犠牲者の遺体が並べられた、青森市の中心部を南北に貫く柳町通りの舞台に立つ。

日系アメリカ人の映画監督スティーヴン・オカザキさんの『ヒロシマナガサキ』（White Light, Black Rain: The destruction of Hiroshima and Nagasaki, 2017）という映画があります。「八月六日は何の日か知っていますか？」と原宿や渋谷の街頭で若者にインタビューするシーンがあるのですが、誰ひとり答えられない。オーディオコメンタリーによるとこれはやらせではなく、監督自身ひどく驚いたそうです。驚いたというか、やはりこれは恥ずかしい。

日本人として実に恥ずかしい。わが自慢の演劇部員たちはどうかしら、と心配になり、早速訊きました。幸い八月六日が何の日か大体知っていて胸をなでおろしたのですが、ふと思った。青森市に住んでいる自分たちは青森市がかつて空襲を受けて焼け野原になった日のことを知っているのか？　イラク戦争時の三沢基地の話と同じで、青森空襲のことを何も知らないんじゃないか。これは青森市の空の下で生活する者として恥ずかしいことなんじゃないか。

資料によって違いますが、青森大空襲の死者は約一二〇〇人と言われています。青森市は北海道との物流拠点のため徹底的に攻撃され、市街地は九割近く焼失しました。「知らない」で済ませたら八月六日を知らない渋谷の若者と一緒です。ここは演劇の出番だなと思いました。

七月二八日に何があったのか。世界で初めて、空気に触れると自然発火する黄燐が入っているM74焼夷弾——のちに朝鮮戦争で使われた爆弾のプロトタイプで、木造家屋には高い効果があると報告書に書かれています——が約八万三〇〇〇発、青森の街に降り注ぎました。青森県知事の警告を受けた市長は、疎開していた人たちに対して「防空・消火義務があるから市内に帰ってこないと配給を打ち切る。二八日までに家に戻らなければ、町会の人名台帳から抹消する」と命令しました。一九四一年に改正された防空法では、退去の禁止、消火の義務が市民に課せられています。従わない者には罰金、懲罰が課せられ、避難は禁じられました。最終期限の二八日、市内へ戻る人が多かったその日の夜に空襲が来てしまった。在郷軍人が軍刀を振りかざして、消火をしなければ非国民だと、逃げ惑う人々を威嚇した。そういう悲惨な事実の重なりがあったことを、演じる側はちゃんと想像しないと芝居はできません。

部員たちはまず、自分の祖父母に青森空襲の体験がないか尋ねました。「ある」と答えた祖父母のいる部員は三名。じっくり話を聞かせました。三人とも「初めて知った」とのこと（青森に限らず、日本の戦争世代は自分の孫に戦争体験を話したがらない傾向があるように思われる）。その次は、「青森空襲を記録する会」が毎年出している体験手記集『次代への証言』を手分けして読み、寄稿者から直接お話を聞きました。観客に想像させるために、まず自分が想像する。〈演じる〉という作業の基本です。

そういう経験をすることで、部員たちは新しい発見をして、自分たちが暮らす街の歴史を知っていきます。「柳町通りになぜ観音様が立っているのか」「青森市役所の前に防空頭巾をかぶった石像があるけど何だろう」と自分たちで疑問を抱き、答えをみつけていく。柳町通りには性別の判別すらできない黒焦げの棒みたいな死体が何百も並べられていたということを、彼らは初めて知ります。今まで気にせず通り過ぎていた場所が、どんな風景だったかを想像するようになります。『7月28日を知っていますか？』はこのようにして作られました。

東日本大震災の後、被災地応援のために作った『もしイタ〜もし高校野球の女子マネージャーが青森の『イタコ』を呼んだら』の上演で三陸沿岸の街を多く訪ねました。印象的だったのはツアー一年目の二〇一一年秋、気仙沼市から大船渡市に向かう途中で通過した国道四五号沿いの街の風景です。見渡す限りの廃墟。瓦礫の山。大きな船が道路に乗り上げていました。バスの車窓から外を見て、部員たちが泣いている。ここで人びとの暮らしがあり、それが突然奪われたことを目の当たりにしたわけです。これから自分たちの芝居を観に来るのは、ここで暮らしていた人たちなんだ、と実感する。なまなかな覚悟ではいかんのだと、と実感する。これは恐いです。そんな恐怖も含めた涙だったと思うんです。『7月28日を知っていますか?』で空襲の場面を演じるとき、部員の多くは泣くんですけど、思い出すのはそのことです。その瞬間、彼らは当事者になっていると思うんです。空襲で焼かれ、逃げ惑うあの日の青森市民になっている。体験するメディアである演劇の力なんだと思います。

想像の補助線を引く

「前半の二〇分で飽きた」。番組内、部員が書き上げた脚本を元に初めて稽古をする場面で、畑澤さんは生徒たちに感想を伝える。部員二八人のうち、三人に空襲体験がある祖父母がいた。でも最初は誰ひとり空襲の話を語りたがらなかった。それでも聞かせて欲しいと話してもらった証言はあまりに衝撃的で、生徒たちは脚本に入れることを躊躇っていた。

「話したくない、辛い思い出も書くべきだ」

「観るだけでお客さんが嫌な思いになる、そんな悲惨な場面も敢えて書く必要があるんじゃないか」

と、畑澤さんは助言した。

「理不尽なことに対する怒りを強烈に持つ。そこから考えることを始めればいい」と高校生に指導する畑澤さんも、空襲を知らない。自身が直接体験していないことをえがくとき、どんなことを意識して、心がけているのだろう。

当事者を傷つけてはいけない、ということは常に考えています。

以前『翔べ！　原子力ロボむつ』という放射性廃棄物で動くロボットが一〇万年後まで

生きる話を書きました。気を遣ったのは、ある部員の父親が日本原子力研究開発機構の職員だったことです。彼女が自分の父親の仕事を誇れないような芝居は作るべきではない。私は原発推進派でも反対派でもありません。こうした題材を扱う場合、批評性を持たなければ作品はヌルくなります。一〇万年たたないと安全にならない高レベル放射性廃棄物が青森県にたくさんある。このことは賛成や反対の立場の如何に関わらず、現実として存在します。それをそのまま観客に提示する。そして〈一〇万年後〉というとてつもない時間を想像してもらう。そんな体験を提供したいのです。

ただし、一〇万年後とか、一晩で一二〇〇人が死んだとか、そういう数字はとても想像しづらい。

被災地に行ったバスの帰りに、生徒とこんな話をしました。日本中あらゆる場所で、毎日のように人は死ぬ。残された者たちは泣いて、悲しんで、葬式をやって、四九日の法要をやる。その過程でその死を家族や共同体が次第に受け入れていく。弔いによって死は吸収され、消化される。そうやって人の営みは当たり前のように続いていく。でも、一二〇〇人が一度に死ぬというものすごい暴力が起きたとき、その死は消化されない。消化する胃袋や腸が共に失われているからだ。ひとりひとりを弔ってくれる人がいないとき、悲しんでくれる人がいないとき、死はどこへ行くんだろう。普通に悲しまれて死ぬのが幸福だよね、と。

ただ、こんな暴力的な、不幸な死でも、演劇ならばひとりひとりの死をすこしは想像させられるというか、少なくとも想像の補助線を引くことはできると思うんです。

『母と暮せば』——映画の舞台化

戦後日本を代表する劇作家・井上ひさしの戯曲『11匹のねこ』を大学時代に初舞台で上演して以来、井上作品を読み込んでいた畑澤さんに、山田洋次監督の映画『母と暮せば』をもとにした舞台の脚本を執筆してほしいとの依頼があった。二〇一八年秋のことである。井上ひさしは晩年、ヒロシマ・ナガサキ・沖縄をテーマにした三部作を構想していた。その遺志を山田洋次監督が継ぎ、こまつ座の公演『父と暮せば』『木の上の軍隊』につづく「戦後〝命〟の三部作」として『母と暮せば』は映画化されていた。広島を舞台に原爆で亡くなった父と生き残った娘を描いた『父と暮せば』の対になる物語だ。

演出家の栗山民也さんが『親の顔が見たい』という僕の作品を見て、山田洋次監督に推薦してくださったのがきっかけです。山田監督も「あの面白い高校の先生」と認知してくださっていて、もちろんやりたいと言いましたが、あんまり無邪気に引き受けてしまったと後悔しました。あまりにもオソレオオイじゃないですか。長崎に行ったり資料を調べたりして、半月で書き上げましたが、なかなか辛い戦いでした。

『父と暮せば』は僕の教科書なんです。ダイアローグのセリフの進め方も、戦争を扱うことそのものについても。『母と暮せば』を『父と暮せば』同様に「ふたり芝居で」と言われたときは、冷や汗が出ました。偉大な戯曲と較べられるに決まっています。いや、較べてくれと言わんばかりのオファーです。相当なプレッシャーでした。

『もしイタ』を書く時に悩んだのが当事者性の問題でした。あの日、気仙沼や八戸は津波に飲まれました。青森県に住んでいるから、ある面では〈被災者ヅラ〉をして被災者の立場から書くことができてしまう。だけどそれをやってはいけない。だって被災してないですもん。被災していない自分に東日本大震災を描く資格があるのか。その時、救ってくれたのが『父と暮せば』でした。井上ひさしさんは広島に縁もゆかりもないのに、あんな素晴らしい戯曲を書いた。被爆者でもないのにどうして書いたんだと井上さんを非難する人はいません。『父と暮せば』の執筆前、井上さんは被爆者名簿を数万人分、写し書きしたそうです。まるで写経のように。当事者ではないけれども誠意があることを自分なりに表明したかったのではないかと思います。だから僕も、可能な限り誠実に考えるしかないと思いました。

最初に考えたのは劇中に出てくる息子の幽霊は、人を生かす幽霊であってほしいということです。僕は幽霊も神様も信じません。でも「幽霊を見た」と言う人を嘘つきだとは思わないし、神様に祈りを捧げることを無駄だとは思いません。幽霊は実際にはいないけれど、生きてる人間の中にいる。『父と暮せば』では、父親の幽霊が現れても、娘は驚きません。娘のなかに、父親に出てきてほしい動機があるからです。生きて幸せをつかみたいけれども、幸せになるわけにはいかない、そんな自分の背中を、父親に押してほしい。

映画『母と暮せば』では、お母さんは死んでしまいますが、僕が書く芝居では死なない話にしました。つまり、お母さんが生きるために息子が出てきたのだと捉えました。母親のなかに生きたいという思いがあって、その思いを後押しするために、息子が霊として出てくる。だから、息子がひとりで舞台に出ている場面はありません。生きている人間の事情が幽霊を登場させるわけです。

ドラマターグとして劇作に関わった工藤さんは「畑澤がイタコになって、井上先生が降りてきているみたいだった。明らかにひとりで書いたものではない感じがした」と振り返る。映画では背景情報のひとつにすぎなかった浦上の歴史と、母親が助産師であるという二点を、畑澤さんは丁寧にえがいた。戯曲では、母親が助産師になったきっかけや引退する理由を息子に訊ねさせる台詞がたびたび登場する。「今はよさん?」「気が進まんとよ」「もう、よかやろ」と、なんとか助産師の話題を避けようとする母親に「聞きたいんだ。聞かせてよ」と執拗に息子は食いつく。その息子の姿は、部員が書いた脚本に「体験者が思い出したくない

と辛い思いをして語った証言こそ、脚本に入れるべきでは?」と指導する畑澤さんの姿と重なるようにも感じた。

映画『母と暮せば』では母親役の吉永小百合さんが、マリア様が鎮座してステンドグラスで飾られた不思議な仏壇に手を合わせます。全国どこにでもある仏壇じゃない。数奇な歴史が生んだものだ。これが浦上なんだ。掘り下げるべきはここだ、と思いました。

驚いたのは「原爆は(長崎に落ちたんじゃなく)浦上に落ちた」という意識を持つ人が長崎にいる(いた)という事実でした。「浦上に罰があたった」と、いわゆる隠れキリシタンの人たちに仏罰として原爆が落ちたと考える人もいたらしい。地形の関係で、同じ長崎市内でもまったく被害のない地域もあった。原爆投下の翌日に、長崎市内で映画館が営業してたとのこと。ここに分断がある。歴史や宗教や地域が生んだ分断がある。これは非常に大きい意味を持っていると気づいて、その点をきちんと描かなければいけないと思いました。

主人公の女性が産婆(助産師)さんであるという設定にも大きな意味があります。彼女にとって、生きるということは命をとりあげることです。自身が原爆症を負ってしまったことと同じくらい、産婆としての仕事を絶たれることが、生きる意欲から遠ざかる大きな要因になっています。

広島には八月六日の夜に赤ちゃんをとりあげた有名な産婆さんがいます。産婆さん自身も全身大やけどを負いながらとりあげた。取材で長崎大学の大石和代先生にお話を伺っているとき、この話になり、「もし、この産婆さんのように全身火傷になって身体の患部を切除しなくてはならなくなったら、どうしますか?」と質問したら「右手だけは残してくれ、右手一本だけ残っていれば産婆はできる、と医師に言います」と答えて頂いたんです。大げさですけどこのことばが天啓のようにがーんと来て、「そうか手か」と。命と手の物語にしようとその時に決まりました。

青森への／からの視点

長崎や**青森**など、**地方**を**舞台**にした**戯曲**を**書く**とき、**劇作家**としての**畑澤**さんはまず**標準語**で**戯曲**を**書く**。それから**演出家**として、**舞台**の**上**で**活**きた**土地**のことばに**変**えていく。**地方**で**芝居**をやることと、**中学生**から**八〇代**まで**幅広**い**観客層**を**意識**した**芝居作**りをすることは、**畑澤**さんにとって**同**じことであるという。それはまた、**劇団名**「**渡辺源四郎商店**」が**畑澤**さんの**父**の**旧姓**と**祖父**の**名前**に**由来**し、「**芸術家**でございと、ふんぞり**返**るのではなく、**腰**を**低**くして**お客様**を**お迎**えしたい。**街**の**店**のように**存在**したい」という**願**いを**込**めた「**商店**」を**名乗**ることにも**通**じる。

秋田で生まれ育った時間より、青森での暮らしが長くなった畑澤さんは今「地元の人間ではないからこそ、いろんなものを面白がれるのかもしれない」と青森への愛を語る。

すっかり青森のことばづかいになったと思いきや、生まれ育ったことばというのはなかなか抜けないみたいです。ほかの地方からみれば秋田弁と津軽弁はそんなに違いがないかもしれませんが、ちゃんと言い分けるのはすごく難しい。そこにこそ、豊かさがあります。標準語ではない話しことばを持っているということは、俳優にとって刀を一本多く持っているようなものです。青森で芝居をしている理由のひとつでもあります。たとえばマニラの人の多くは友人同士ではタガログ語で話し、ビジネスなどちょっとパブリックな場面では英語を話します。多くの津軽人もこれと同様に、津軽弁と標準語を使い分けています。私も職場では標準語で話していますが、仲の良い同僚と話すときは自然に訛りますし、管理職と話すときは標準語になります（一般的な津軽弁には敬語表現がありません）。演劇部の稽古中で、演出の指示をするときは標準語を使います（津軽弁は論理的に筋道を立てて話すのに向いていません）。ですが、「オマエさあ、そんなんじゃダメだぞ」みたいな説教モードに移行するときは意識的に訛ります。ちゃんとわかって欲しいときです。津軽弁の方が本気で話してるように聞こえるんですね。この使い分けがパキッと二択になるのではなく、ブレンド自在のグラデーションになる。とても重宝です。演劇というのは基本的に人と人との関係性を示す芸術ですから、このようにＴＰＯで使い分けられる日常口語があるということは、大きなアドバンテージです。上京して訛りを矯正される地方出身の俳優たちに同情します。なんてもったいない！　日常的に津軽弁を使いこなす俳優の集団は、全国でここにしかいない。宝物です。

中学生に作文を書かせると、青森は何もないからいやだ、早く出て行きたいと書く子がいます。でも、青森はちょっと他にないくらい〈濃い〉県です。歴史的にも文化的にもここにしかないものがたくさんある。なんとかして魅力を伝えていきたいと思っています。

青森市はもともと寂しい漁村だったのが、弘前藩二代藩主・津軽信枚（つがるのぶひら）の時代に湊が開かれ、江戸中期には城下弘前に次ぐ都市となりました。明治維新後は青森県の県庁所在地となり、北海道と本州をつなぐ物流拠点（教科書的に言うところの交通都市）として発展しました。一九〇八（明治四一年）年に開業した青函連絡船は物流の主役として八〇年間、青森と函館とを繋ぎ続けました。最初の二隻、田村丸と比羅夫丸はスコットランド製で、当時世界最先端の蒸気タービン船でした。バルチック艦隊を破った帝国海軍のどの軍艦よりも速かったそうです。この後も、日本の造船技術の最先端が惜しみなく青函連絡船につぎ込まれました。青函航路がいかに重要視されたかの証左だと思います。

青函連絡船は一九八八（昭和六三）年に終航し、今は二隻しか残っていません。そのうちの一隻八甲田丸は、メモリアルシップ八甲田丸として青森第二岸壁に係留され、フローティングパビリオン（博物館船）として活躍しています。船内を案内して頂いたとき、就航から終航までの二四年間で乗せた乗員乗客の延べ人数が約一七〇〇万人と伺い、広い船内のあちこちに一七〇〇万人の幽霊がぎっしり詰まっているような錯覚を覚えました。八甲田丸は交通都市として発展してきた青森という街の記憶そのものだと確信し、『八甲田丸の一七〇〇万人』という一般参加型の市民劇を八甲田丸の車両甲板で上演しました（二〇一二年）。その後も青函連絡船の芝居を作り続け、ついに青函連絡船の記憶を演劇で残す一般社団法人「進め青函連絡船」を立ち上げました（二〇一八年）。これからも青函連絡船の芝居を作り続けていきます。一九二三年から一九四五年まで、稚内と樺太は稚泊（ちはく）連絡船でつながっていました。戦中に祖父がサハリンに渡って仕事をしていたこともあって、青函連絡船で本州から北海道へ、そして稚泊連絡船で北海道からサハリンへとつながりをえがく物語もいつかやってみたいと思っています。

今年作っている芝居には、北朝鮮の長距離弾道ミサイルのテポドンを意識したミサイルが出てきます。かつて三陸沖に落ちたテポドンは、三沢基地を目標に想定していたのではないかといわれています。原発も米軍基地もあって、米国以外では四基しかないXバンド・レーダーが配備されるなど、実は青森県は沖縄の次ぐらいに国策に振り回され続けている。そういう視点から日本や世界を見られるのも我々の強みだと思うし、たとえ故郷を離れても、そういう土地で育ったことは忘れないでほしいですね。

ワークショップ──演劇的な幸福

高校演劇部の顧問として高校生たちを指導し、地域の劇団主宰として地元の子どもを育てる畑澤さんが劇作家となったきっかけは、高校の演劇部顧問になったことだった。運動部に比べて肩身が狭く見えた演劇部を何とかしなければという思いから、部員のために生まれて初めて台本を書いた。教育学部の美術課程で卒論がなかったので、原稿用紙五枚以上の文章を書いたのは、それが人生で初めてだった。

「教えればすぐ上達して、三日経てば別人のようになる。高校生たちと芝居を作るのはものすごく楽しい」とその魅力を語るとき、一段と熱が込もる。とりわけ、中高校生だけに見られる現象があるという。二〇~三〇人が集う稽古中、ひとりがいい芝居をすると、まわりにもいい緊張が伝播する。次第にどんどん芝居が良くなっていくグルーヴが起き、そのうねりが沸き起こる瞬間に立ち会うと「面白くて、やめられない」

『修学旅行』では、五人の女の子が同時にひとりの男の子を好きになり、いろんなものが不平等に配分されていくときに争いが起きます。渡辺源四郎商店で「7日で作る『修学旅行』」という中学生対象のワークショップを企画しました（二〇〇八年）。最初にやったのは演劇の訓練ではなく、『修学旅行』に出てくることばをみんなで調べて発表するという、歴史の授業みたいな作業です。「中東戦争ってなに？」「パレスチナとイスラエルはどうして仲が悪いの？」「ひめゆりの塔ってなに？」「カンボジアにはどうして地雷が埋まっているの？」など。

調べた要点をA3の用紙にまとめて、全員の前で発表する。中学生たちは世界で戦争がたくさん起きていること、それが今も続いていることがわかってくる。「戦争はよくないと思います」みたいな感想をみんな言うわけです。でも、『修学旅行』劇中の登場人物のように、友達の背中に枕を投げつけてしまう気持ちもわかる。その前に何かできたのかもしれないけれど、どうすべきだったかは正直わからない。憎しみはどんなふうに生まれるのか。綻びはどのようにできてしまうのか。それをどうやって解決するのか。そんなことを『修学旅行』を通して、想像していくわけです。〈演じる〉だけでなく、戦争について〈考える〉ワークショップを目指しました。

中学生の演劇体験ワークショップ「7日で作る『修学旅行』」は、演目を毎年変えて続けられ、八年続きました（現在も形を変えて毎年続けられています）。高校生を参加させるようになったのは二年目から。まず高校生で二～三週間稽古をして、芝居を完成させます。

その上演をワークショップ初日に中学生の参加者に観てもらう。それから中学生にひとりずつ、高校生が役ごとにマンツーマンで個人指導します。高校生が中学生の背中に張り付き、セリフと所作を伝えます。これをシャドウシステム、もしくは背後霊システムと呼んでいて、RADA（王立演劇学校：Royal Academy of Dramatic Arts）の方法を応用しています。台詞を覚える時間が一番長くかかるものですが、後ろにシャドウがついて台詞を教えながら稽古をすると、一時間の芝居であれば三日くらいの稽古で通し稽古ができてしまうんです。

ワークショップで最後に上演をするのも、本番のドキドキ感を体感させてあげたいからです。だけど上演を伴うワークショップはどうしても長期にならざるをえない。それだと敷居が高いので、七日で本番まで持っていきます。実質的な稽古時間は三日しかありません。こんな場合、シャドウシステムはとても有効です。高校生も〈教える〉という行為によって、自分の演技を捉え直す得がたい機会を得ることができ、一挙両得です。中学生で参加した者が高校生になって今度は教える側に回ることも起きました。まさに部活の先輩後輩のような機能で、長く続けているとこんな利点もあります。

渡辺源四郎商店も演劇部も、自分のカンパニー（仲間、一座）だと思っていて、メンバーの演劇的な幸福を第一に考えたいと思っています。演劇で生きる歓びを味わってほしい。

青森みたいな田舎では、演劇人を輩出する機関はほとんど高校の演劇部だけです。だから、高校時代の演劇活動を黒歴史として語ってほしくない。間違いなく演劇が好きな子として卒業させてあげたい。そのために、狭い了見を持って欲しくない。あれもいい、これもいい。表現は多様で自由だ。演劇がすごく間口の広いものだと感じてもらいたい。人前で台詞を言うのは恥ずかしかったけど、やってみたら楽しい。人の気持ちがわかると楽しい。誰かとコミュニケーションが取れると楽しい。そんなことをわかってほしい。その上で、戦争や差別について考えてもらいたい。

我々の世代は、日本は空襲を受け、原爆まで落とされて、被害者だとばかり教わってきたような気がしています。決してそうとは言い切れないことは大人になってから気づかされた。アメリカ人の半数以上は日本に原爆を落としたことは今でも正しいと考えているという統計があります。アメリカ人に「あなたの国はなぜ原爆を落としたの？」と尋ねたら「リメンバー・パールハーバー」と言われたという話を聞いたことがあります。いまの子たちはそこに手が届いているのか。この問題をどう扱えばいいのかは、まだわからないです。

最近よく考えるのは、今回のコロナの状況への既視感です。もう幸せな日常は戻ってこないかもしれないというおそれは、東日本大震災の直後にも感じたことがあって、ああもう何をやっても無駄だと、自暴自棄になりかけていた感覚を思い出しています。年齢もあると思いますが、自分も死ぬということを念頭に、若い世代に何を残せるのかと積極的に考えるようになりました。

自分たちは平和な時代を生きたけれども、あなたたちはそうじゃないかもしれない。

自分たちの世代は何もなく終わるかもしれないけれど、今の子どもたちは新しい戦禍をくぐり抜けないといけないかもしれない。

そのときのために、子どもたちに何を伝えればいいのかということは、ずっと考えています。

「ポ――――ッ、ポ――――ッ」二〇二〇年八月一二日正午。青く澄んだ空の下、汽笛の二重音がかつての連絡線桟橋に鳴り響く。青函連絡船八甲田丸の五六歳の誕生日を祝うセレモニーが、操舵室で行われた。その晩二〇時二五分――五六年前、八甲田丸が函館港を出港した初航海の出航時刻――から youtube で配信された映像で、わたしはその様子を観た。八甲田丸に扮した元八甲田丸機関長の葛西鎌司さんは、他の青函連絡船に扮する渡辺源四郎商店の

俳優陣に祝福を受け、スピーチを述べる。「誕生日を祝ってもらえる船は、私だけだと思う。世界一、幸せな船です」

驚いたことに、八甲田丸と畑澤さんは、生年月日が同じという因縁がある。「これが、運命でないはずがない」と畑澤さんは同じ歩幅で歳を重ねる青函連絡船の物語を二〇一二年から紡いでいる。戯曲『私と空と八甲田丸』は、一九六四年八月一二日、畑澤さんがうまれたその日に初就航する八甲田丸の船上が舞台。高度経済成長の真っ只中、日本中が好景気に沸き、東京オリンピックが開かれた八月の物語を、わたしは五六年後の八月に刊行された青函連絡船と演劇の本（「進め！青函連絡船 Vol.2」二〇二〇年号）で読んだ。県をまたぐ移動に制限がかかる一方、経済を動かすために人を動かそうとする矛盾の波が渦巻く中、「復興五輪」をかかげる東京オリンピックは一年延期となった。

この夏、青函連絡船の物語を伝える公演は、動画配信という臨時便の就航を発表した。畑澤さんとそのカンパニーを乗せた四隻の船は、逆風のなかでも航海を続けている。津軽海峡横断の旅に自宅から乗船できるのならば、せめて青森県産のりんごをかじりながら渡ろうか。

青森に、縁はなかった。今は、青森と聞いて思い浮かぶものがいくつもある。

10.

NIWATA Anju
WATANAVE Hidenori

庭田杏珠×渡邉英徳

特別な時間のおわりと、記憶をたどる旅のはじまり

二〇二〇年七月三日　オンライン

広島

二〇一八年九月一五日。Twitterのタイムラインに流れてきた一枚の写真に、目が留まった。キャプションには、次のことばが添えられていた。

「73年前の今日。1945年9月15日、終戦直後にマーシャル諸島で撮影された日本軍兵士たち。おそらくウォッゼ島かマロエラップ島で撮影されたもの」

写真に写る上半身裸で一列に並んだ四人の兵士は、骨と皮ばかり。肋骨と鎖骨がくっきりと浮き出ている。カメラに向ける眼差しと表情から、撮影時の心境を慮ることは難しい。AI技術と手作業による色補正を経てカラー化された写真は、浮腫(むく)んだ肌の色、左右の太さが異なる脚、浮き出た腕の血管を際立たせ、孤島での飢えを生々しく伝える。

『タリナイ』の劇場公開を目前に控えていた。上映後のトークでこの写真について詳しく伺うことが叶えばと、写真をツイートした東京大学大学院情報学環の渡邉英徳さんにメールをお送りしてみると、すぐにありがたい返信が届いた。

翌月、渡邉さんとわたしは渋谷の映画館にいた。上映後、ゲスト出演くださった渡邉さんはTwitterで見た日本軍兵士たちの白黒写真とカラー化写真をスクリーンに映した。携帯の画面で見た時には気に留めなかった、背景や周辺に写り込むものにも目がいく。大きく映し出された二枚を交互に見比べながら、この四人と同じ状況にいた佐藤冨五郎さんとその戦友たちに想いを馳せる。少年にも、老年にも見える年齢差のある四人はどのように選ばれ、撮影されたのだろうか。日本国籍の兵士が引き揚げた後も、しばらく島に取り残された朝鮮籍の日本兵である可能性もある。

それから四カ月後、都内で開かれた「第2回デジタルアーカイブ産学官フォーラム」で、渡邉さんと広島の高校二年生（当時）庭田杏珠さんが取り組んでいる「記憶の解凍」プロジェクトの発表を聞いた。渡邉さんは情報デザインとデジタルアーカイブによる記憶の継承のあり方について研究を進めながら、長崎、広島、沖縄戦から東日本大震災まで、さまざまな時代と場所の記憶をデジタルデータでつなぎ、多元的なコミュニケーションを庭田さんら若者たちと生み出してきた。カラー化したきのこ雲の色合いなどを助言した『この世界の片隅に』の片渕須直監督、庭田さんに写真を提供した濵井德三さんも発表を見守り、プロジェクトのあたたかい繋がりが感じられた。

いま、できることにまっすぐ向き合う中で抱く想いを伺いたいと、後日渡邉さんと庭田さんに取材を申し込んだ。しかし、庭田さんは大学受験を控えていた。受験が終わった頃にはコロナが席巻し、先の見えない状況のなかでアポイントは何度も延期になった。さらにそのなかで、ふたりのカラー化写真集の出版準備は佳境に入っていた。取材の依頼から一年を経て、オンラインでようやく実現したインタビューで再会した庭田さんは、渡邉さんが教鞭をとる東大の学生になっていた。

二〇時にパソコン画面の前で集合した。渡邉さんは東京のご自宅から、戦前の沖縄の街並みをカラー化した写真をバーチャル背景に現れた。海沿いに並ぶ赤瓦の家々と青い海は一九三五年に撮影されたものだという。庭田さんは広島のご実家から、カラフルなスタジオセットを背景に登場した。一瞬、全員時差がある場所から集まっているような錯覚にとらわれる。

刊行間近の新刊『AIとカラー化した写真でよみがえる戦前・戦争』（光文社、二〇二〇年）の編集でもふたりはほとんど対面で会うことなく、オンラインでのミーティングとSlackのやり取りをもとに作業を行ったという。本のプロモーションもこの時点ではオンラインで、渡邉さんと庭田さんは連日画面の前で待ち合わせをする多忙な日々を過ごしていた。

「記憶の解凍」プロジェクトのはじまり

渡邉　戦前・戦中の写真はモノクロフィルムで撮影されていて、動画の数も限られています。スマートフォンの高性能なカメラを持ち、カラーの動画で日常を記録している僕たちには、白黒写真は遠い昔の凍りついた風景のように見えます。これは、あたりまえの感覚のようでもありますが、さらに掘り下げてみると、白黒写真の非日常感が、過去のできごとを現在の私たちから遠ざけ、自分ごととして考えるきっかけを奪っているのではないか、と考えていました。

そこで二〇一六年一〇月から、ＡＩ（人工知能）技術を応用して、白黒写真のカラー化を始めました。大量の写真から学習したＡＩとヒトのコラボレーションによって白黒写真をカラー化し、対話を生み出していく取り組みを「記憶の解凍」と呼んでいます。白黒写真がまとう凍った過去を、ＡＩと手動の補正、そして発信と対話で溶かしていくイメージです。

一例として、新刊の書籍にも載せた、呉からみた広島の原爆のきのこ雲の写真をとりあげます。元写真の空はグレーのグラデーションです。これをカラー化すると青空になり、山肌の色合いも、見慣れたものになります。しかしＡＩはきのこ雲の色を学習していませんから、入道雲のように白く着色しました。その後『この世界の片隅に』の片渕須直監督から「きのこ雲はオレンジ色だった」とご指摘をいただき、他の資料も当たりながら、手作業で色を補正しました。こうして、本来その風景にあったはずの色彩が可視化されることで、過去にも現在と変わらない日常があったことを実感できます。つまり、原爆投下当日の呉の人々が見上げた空と、現在の空がつながっていることを想像しやすくなるのです。このカラー化写真についてはその後も片渕監督とのやり取りと色補正を続けています。

またこの本には、空襲で炎上する都市の写真もたくさん載せています。色が付くことで、白黒では状況を実感しづらかった写真から炎熱が浮かび上がります。私たちが目にする、現実の火災の写真と似た印象に変化するわけです。

たとえば東日本大震災の津波や異国の戦場、デモの映像のように、いまは見知らぬ誰かが体験している災いを、リアルタイムで目撃できる時代を僕たちは生きています。同じように、カラー化された炎の写真は、時を越えた同時性を帯びてきて、過去の人々の恐怖が伝わってくるようになります。

僕はこの「記憶の解凍」プロジェクトに先立って取り組んできた《ヒロシマ・アーカイブ》のスタート時点から、広島の高校生たちと協力体制を築いてきました。生徒たちは、これまでに四〇名以上の被爆者とコミュニケーションして証言を収集しました。その現場では、生徒たちと被爆者が肩を並べて語り合いながら、当時の記憶が引き出されていきます。

インタビューを受ける被爆者の方々は、悲惨な証言内容にもかかわらず、優しい表情を浮かべています。若者たちとのコミュニケーションが、凍りついていた被爆者の記憶を溶かし、対話を生みだしていくわけです。こうした体験は、生徒たちの記憶に強く刻まれます。この経験をベースに、彼女らは自らのことばで広島の記憶を語り継いでいきます。

二〇一七年六月に、《ヒロシマ・アーカイブ》の活動の一環として、広島の高校でカラー化技術の講習会を開き、戦前の沖縄の写真をカラー化したものなどを紹介しました。そこに参加していたのが、当時は高校一年生だった庭田さんです。

庭田　この講習会の一週間前に、広島平和記念公園で偶然濵井徳三さんとお会いしたのが、私にとっての「記憶の解凍」プロジェクトの始まりです。濵井さんの生家である「濵井理髪館」は、いま平和公園となっている、かつての中島地区にありました。そこは原爆投下前には四四〇〇人が暮らしていた繁華街でした。最初からそこが公園だったと思っている観光客や修学旅行生も増えているようですが、かつてそこには今の私たちと変わらない普通の街と暮らしがありました。

濵井さんは原爆で家族をみんなうしなっています。でも濵井さんが疎開先に持参していたために残されたアルバムがあって、そこには戦争が始まる前の、ご家族とのしあわせな日常が写されていました。

濵井さんとの出会いと前後するように、渡邉先生から一九三五年に撮影された沖縄の白黒写真をカラー化する取り組みを教えていただいて、濵井さんに家族をいつも近くに感じてもらえたらという思いから、アルバムの写真のカラー化を始めました。

対話を生み出すツールとして

庭田さんは、平和公園で核兵器廃絶を求める署名活動中、濵井さんとお会いした。普段ならことばを交わすことなくすれ違う人々との、署名を介した数十秒のコミュニケーションか

ら「記憶の解凍」につながるまでの出会いが生まれたのは、広島という土地柄もあるだろう。わたしも高校生の頃、長崎と都内で署名活動をした経験がある。長崎では当たり前のように一筆書いてもらうことができても、都内では「核兵器があるから、安心して暮らすことができるんだ」と言う人に出会うことも少なくなかった。東京の街頭に立つことではじめて、日本のなかにもある温度差と認識の差を感じた。

署名活動は賛同する人の〈声〉を集めることで、想いを可視化する。写真をカラー化して〈記憶の色〉を再現する際にも、当時の〈記憶〉を持つ人との対話が欠かせない。さまざまな〈声〉の中から色を呼び覚ますとき、庭田さんは「ほんとうの色じゃなくていい。正確さを追求するよりも、その方の〈記憶の色〉を大切にしたい」という。航空史研究家でもある片渕須直監督は「色彩の資料は残りにくい」とお話しされていた。テクノロジーが進化するほど、ほんとうの色を追求したくなってしまう。でも大切なことは、対話の中から思いがけない記憶を掘り起こすことだと、「記憶の解凍」の目的が戦争体験者の〈想い・記憶〉の継承であるという原点を忘れない庭田さんの姿勢はすがすがしい。

庭田　「記憶の解凍」プロジェクトは、署名を集めて核兵器廃絶を国連などに直接的に訴えかけるものではありません。アートやテクノロジーを活かして、これまで無関心だった人にも、原爆や戦争・平和について自分ごととして想像する機会を提供することで、それぞれが感じた想いを発信してもらえたらと願っています。「もう誰にも同じ思いをさせてはならない」と平和を希求する戦争体験者の〈想い・記憶〉を共感の輪と共に社会に拡げ、未来へ継承していくことが、最終的なゴールである〈核兵器のない平和な世界〉につながっていくと信じています。

戦争を体験した方にお会いして、対話しながら〈記憶の色〉を蘇らせていく活動が、戦争体験者の〈想い・記憶〉の継承に繋がっていくと感じています。こういう活動があることを知ってもらって、自分のおじいちゃんやおばあちゃんにも話を聞いてみようとか、そういうきっかけになったらいいなと思っています。それは特別なことではありませんが、直接お話を伺えるいまは特別です。その時間を逃してほしくないというか、いまという時間を大切にしてもらえたらと思っています。

渡邉　コロナ禍においても、たとえばオンラインの被爆者証言会など、記憶を語り継ぐ場が若者主体で作られています。なかには、戦争体験者ご自身がZoomの会議室を立ち上げ、そこに世界中から参加者が集っているようなケースもあります。パンデミックによる制約を逆のキッカケにして、あたらしい継承の空間が生まれています。これまでの〈証言会〉がまとっていた敷居の高さが、参加者全員が同じ大きさのサムネールに収まることでフラットになり、〈被爆者〉としてだけではなく目の前の〈おじいちゃん〉〈おばあちゃん〉として話を聞くようになる。対面のイベントだと畏れ多くて萎縮し、聞くことができなかった質問なども、オンラインなら安心して発言できるという利点もあるようで、語り部のかたご自身も、ポジティブに受け止めていたことが印象的でした。

この本の取材をしながら、わたしは七五年前にマーシャル諸島で餓死した佐藤冨五郎さんが二年間綴った日記を、書かれた日付と同じ日にSNSに投稿していた。書かれた日付と同じ日に読むことで、冨五郎さんと出会い直すような感覚があった。昨日でも明日でもなく〈今日〉という日に読むからこそ、冨五郎さんが生きた過去とわたしが生きる現在が地続きであることが実感される。それは冨五郎さんの目線でいま・ここを見つめることでもあった。日記が絶筆に近づいた四月、わたしが生きる日本は緊急事態宣言の只中にあった。日常の些細な行動のひとつひとつに注意を払い、限られた物資を分かち合うことが互いのいのちを守る日常を送る中で、わたしは佐藤冨五郎さんの切実な声を、かつてないほど近くに感じていた。交わることがない時を同じリズムで刻みながら、七五年前の今日がどんな日であったかを想像する。決して会うことはないのに、日記を介して一緒に生きたような心地がした二年間だった。

渡邉　こうした活動は、多様な対話を生みだすことを主眼としているはずです。テクノロジーは、人の心をつないではじめて意味のあるものになります。世代や立場を越えたコミュニケーションが、記憶や体験を手渡していくのです。
カラー化のテクノロジーも、そのままではコミュニケーションを生み出しません。そこで僕は、主にパブリックドメインのものを中心に、カラー化した写真をSNSに投稿し、対話の場をつくりだしています。

Twitterのタイムラインに現代の〈カラーの〉写真を投稿する行為は日常的なものです。そうしたタイムライン上のカラー写真は、当然ながら同時性を備えています。そうした状況に、過去の白黒写真をそのまま投稿しても、その〈凍りついた〉印象が、タイムラインを一瞬フリーズさせてしまうでしょう。写真をカラー化して投稿することによって、このフリーズを回避し、遠い過去の出来事だという印象を解かして、身の回りの時間の流れに合流させることができます。

ユーザからは大きな反響があります。投稿をはじめてから現在（二〇二〇年七月）までの間に、フォロワーが、約三〇〇〇人から四万八〇〇〇人（二〇二〇年一〇月時点で五万三〇〇〇人）に増加しました。

投稿したほぼすべての写真が一〇〇〜一〇〇〇回程度リツイート、いいねされていて、多数のリプライが付いていきます。

白黒写真のカラー化が多くの人の心を動かし、タイムライン上で、活発なコミュニケーションが生まれているのです。僕はこれを〈ストックされた資料のフロー化〉と形容しています。この実践を通して、過去の白黒写真がカラー化し、対話の場を生み出すことにより、過去のできごとが近づいてきて、現在の日常と地続きになり、自分ごととして感じられるようになります。そうした想像力が、よりよいコミュニケーションを生みだすのではないでしょうか。

今回刊行した『AIとカラー化した写真でよみがえる戦前・戦争』についても、そのようなコミュニケーションを生み出す試みのひとつとして、僕はとらえています。

戦争について考えることが苦手だったふたり

渡邉さんが情報デザインとデジタルアーカイブによる記憶の継承をテーマに研究を進めることになった背景は「他動的・受動的だった」と振り返る。記憶の継承について考える若者たちが、渡邉さんの作品に可能性を見出したことで、渡邉さんも巻き込まれるかたちで記憶の継承をテーマとした研究に携わっていくことになった。

庭田さんは「私たちの活動は特別なものではない」という。実践してみせることで、まわりの人に自分にもできるかもしれないと関心を持ってもらうことに心を砕く。

そんなふたりが、そもそも戦争に関心を持つようになったきっかけは何だったのだろう。

庭田　小学五年生の時に見たパンフレットに大きな影響を受けました。そのパンフレットでは、原爆投下前と現在の中島地区の風景が比べて見られるようになっていました。それまでは戦争について考える平和学習の授業は苦手だったのですが、そのパンフレットを見たときに、戦前にもいまの私たちと変わらない日常があって、それがたった一発の原子爆弾で一瞬にして奪われてしまったんだと想像することができました。小学生だから新聞やテレビから学ぶことくらいしかできなかったんですが、このパンフレットを見たことが関心を抱いたはじめのきっかけでした。

そして濵井さんとの出会いによって、「記憶の解凍」プロジェクトと中島地区の人たちにつながっていくことになります。

渡邉　僕は大分の佐伯市出身で、八月六日は登校日でした。小学生のころ両親に連れられて、広島平和記念資料館に二回ほど行ったことがあります。当時は、被爆者の蝋人形や「黒い爪」など、子ども心には恐ろしく感じられる資料も展示されていたことを強烈に覚えています。

庭田さんと似ているところがあるとすれば、僕もやっぱり最初は怖いというか苦手意識が強くて、まさか仕事のテーマにするとは思っていませんでした。大学の教員になってからは戦争や原爆とは直接関わりのない、バーチャルリアリティの空間デザインについて研究していました。二〇〇九年に、温暖化で海面上昇の危機に直面するツバルの人々の顔写真・証言をグーグルアースに載せた《ツバル・ビジュアライゼーション・プロジェクト》を作ったことがきっかけで、被爆三世の若者たちから《ナガサキ・アーカイブ》の制作依頼を受け、それから戦争や災害と密接に関わる仕事に携わりつづけています。

個人の歴史が押しつぶされてしまわないように

刊行されたカラー化写真集には、米国アーカンソー州の日系人強制収容所にまつわる写真が三枚収められている。収容所内を歩く少女、日系アメリカ人の子ども、収容所から解放されて帰路につく人々――。

かつて日系人強制収容所があった州のひとつであるアーカンソーには、いま米国最大のマーシャル人コミュニティがある。雇用、教育、医療機会などを求めて米国へ移住した人たちであったが、新型コロナウイルス感染拡大による深刻な影響を真っ先に受けていた。想いをめぐらせる土地に、見えていなかった日本との繋がりが重なることで、心理的な距離は縮まり、関係性はより深まっていく。これからも縁のある場所が増えるたび、その土地の記憶を知りたくてこの本をめくることになるのだろう。

インタビューの途中から、渡邉さんは新刊の校了データをZoomで画面共有して見せてくれた。写真選びの基準や役割分担など編集過程を伺うと、読者の記憶を喚起するための仕

掛けや歴史の語られ方に注意を向ける工夫などが散りばめられていた。

庭田　戦争は戦地で戦う大人だけの問題ではなくて、子どもも含めて一般市民も巻き込まれてしまうものなんだと伝えたくて、私は日常生活や子どもたちの写真を中心に選びました。

本を作るにあたって、共同通信社などの新聞社で写真やネガを大量に見せてもらったのですが、原爆が落ちる前の中島地区の写真は、朝日新聞に二枚ほどあっただけで、ほとんど見つかりませんでした。公的な資料として残っているものだけではなく、個人蔵の写真がとても大事なんだと、つながりのなかで存在がわかった資料の貴重さをあらためて実感しました。

渡邉　個人蔵の写真が貴重であるということは、裏を返せば、個人の歴史が埋もれていってしまう状況にあるということです。

たとえば、書籍に見開きで収めた、首里城のアメリカ兵と大阪の市電の写真は、戦場と暮らしを対照的に示しています。星条旗を立てようとする米兵の写真は僕が選んだもので、アメリカ軍がプロパガンダ用に撮ったものです。後者は庭田さんが選んだもので、ほぼ同時期の、市井の生活をとらえた写真です。おそらくは、大阪空襲で動けなくなった市電を事務所として活用している人々を撮影したものです。沖縄戦の写真はパブリックドメインで、大阪の写真は新聞社から有償で使用許可を得ました。つまり、アメリカは自国のプロパガンダともなりえるものについて、著作権の制約なしで積極的に公開しているということです。新聞社の写真や、庭田さんが集めてきた個人蔵の写真は、積極的に機会をつくらないと多くの人の目に触れることはありません。片方の視点でとらえた歴史のほうが、どんどんと広まってしまうわけです。巨大なパワーが作り出すプロパガンダの歴史に、個人の歴史が押しつぶされてしまう。

こういう状況だからこそ、例えば書籍のかたちで、双方の視点で捉えた歴史の資料を広めていくことは大事なことと思います。

国家によって個人がすり潰される。それは戦争そのもののありようでもあります。この書籍では、全体の構成を通して、世界の巨大な流れのなかで、個人の生活が侵食されていくことも表現しました。

庭田　この本では、濵井さんをはじめ「記憶の解凍」プロジェクトで出会った方々の写真も多く収録しています。

濵井さんが疎開先に持参していたアルバムから提供された写真をカラー化した体験はとても印象的でした。カラー化された、家族が一堂に会した写真を見たときに「本当にきれい。昨日のよう」とおっしゃったんです。「昨日のよう」というのは、まさにかつての日々を身近に感じたことを表していると思います。

また、広島市内にあった桜の名所・長寿園でのお花見の写真では、背景の青々とした杉に「杉鉄砲でよう遊んだなあ」とほほ笑まれ、「長寿園までの道に弾薬庫があって幼心に怖かった」と、かつての新たな記憶が呼び起こされたこともありました。カラー化されて色が付いたことで、濵井さんの凍っていた記憶が解凍されたのだと思います。

カラー化した写真を前にした濵井さんは、家族との楽しい思い出が蘇ったことを、とても嬉しいとおっしゃってくださいました。カラー化するだけではなくて、それをもとに対話を重ねることがより大切だと実感しました。

原爆でご両親と弟さんをうしなった高橋久さんとの対話も印象深いものでした。

一面に咲く花のなかで、両親と祖母、弟と高橋さんの五人がほほ笑んでいる写真を本に収めました。最初は写っている花をシロツメクサだと考えて、色補正の段階で花畑の黄色味を弱めていました。それを見た高橋さんが、「これはタンポポだった」と指さされました。カラー化写真を前にして直接対話をしたことが、高橋さんの記憶を呼び覚ました瞬間でした。写真提供者の方にお話を伺って色補正をするとき、色の正確さを求めるのではなく、その方が記憶されている色を目指すことが大切だと私は思っています。

高橋さんは認知症を患っておられ、写真にご自身が写っているかどうかも分からない様子でした。でも写真を囲む対話の場で、原爆でうしなったご両親と弟さんとの楽しい思い出を、活き活きと語りはじめたんです。カラー化写真だけでは解凍されなかった記憶が、コミュニケーションをすることでことばになりました。高橋さんが記憶を語り始めたことで、同席したご家族はとても驚いて、喜んでおられました。

戦後七五年が経過して、戦争を体験された方と直接のコミュニケーションができる機会が持てることは、本当に貴重なことだと感じています。

原動力と夢

庭田　活動を続けていく原動力になっているのが、写真を提供していただいた方々に当時のことを思い出して喜んでもらえることです。当時はこういう色だったとか、こういう行事があったとか、家族や友達と一緒に過ごした思い出を、嬉しそうに語ってくださいます。これまで戦中や戦前の思い出を封印してきたという方もいらっしゃいますが、カラー化写真をもとに一緒にお話ししていると、過去のつらかった記憶が楽しい時間に変わっていったとおっしゃってくださることが何度もありました。

広島に生まれた者として、戦争体験者の方がお元気なうちにできるだけ多く対話を重ねていきたいという使命感ももちろんありますが、やはり喜んでもらえるからこそ続けていきたいと思えます。

ただ戦争の悲惨な場面を伝えるだけではなく、ただ戦前の平和な暮らしを知ってもらうだけでもなく、平和な暮らしが失われるかもしれないと想像することが大切です。

私たちと変わらない喜びがあって、それが失われたということを、自分ごととして想像してもらえる作品を通して伝えていきたいです。

私はこの春から東京大学に進学しました。広島を離れることは自分でも予想していなかったのですが、大学で取り組んでいるのが、アートやテクノロジーを通した「平和教育の教育空間」の研究です。

たとえば最近、広島市平和記念公園レストハウスがリニューアルオープンして、そこで「記憶の解凍」プロジェクトの常設展示をさせてもらっています。その様子は、パノラマカメラに収めてウェブ上でも見られるようにしています。また、私たちのいまの街と戦前の中島地区の風景が重なり合う「記憶の解凍」ARアプリを渡邉先生と共同制作し、アプリを片手に当時の暮らしを肌身に感じながら平和公園を散策することもできます。

仮想空間やリアルな場での展示、あるいはテレビや新聞、SNSや書籍といったメディア媒体、国際会議など、それぞれの場が平和教育の教育空間としてつながっていると考えていて、高校三年間でのご縁や実践を軸にしながら、身近にある空間と教育について研究しています。

純粋な気持ちを心の真ん中に

高校生の時、長崎で署名活動中「大人になっても、今の気持ちを忘れないでね」と四十代前後の大人にことばをかけられた。わたしはこの一言にさまざまな意味が込められているように感じた。

大人になったら、**今の気持ちは忘れてしまうのだろうか。大人**になったら、**今**できていることはできなくなってしまうのだろうか。**大人**になったら、わたしも**同じ**ことばをかけるのだろうか。**早く大人**になりたい気持ちと、**大人**になったら**忘れ**てしまう気持ちがあるかもしれない**不安**が綯い交ぜになっていたあの**頃**を**思い出す**。

今、**画面の前**にいる**渡邉**さんと**庭田**さんは、まず**大人**と**子**ども**同士**として**出会**い、その**後**も**共同**でプロジェクトを**進**めてきた。ときには**衝突**することもあるというふたりにとって、お**互**いの**存在**がどんなものか**訊**ねてみると、**渡邉**さんは「**微妙**な**質問**ですね」と**笑**った。

渡邉　庭田さんには〈本音しかない〉んです。知り合った頃は一六歳の高校生で、いつしか三年経って大学生になりました。めざましく成長していますが、裏表が一切ないところは、ずっと変わらないです。

僕はもう庭田さんほどなめらかに変化はできません。年齢も重ね、肩書きもついてしまっています。プロジェクトリーダー的にふるまい、これが落とし所だろう、と妥協したりバランスをとってしまうところもあります。だから、庭田さんとはたまに言い争いにもなります。〈大人の論理〉みたいなものが入ってくると、庭田さんは明らかに反応が悪くなる。でも結果的に、議論をすることでいいものになっていくことばかりで、とても助けられています。

最初から大学の先生と研究室の学生という上下つきの関係で出会っていたら、立場が固まって、対等にやりとりしづらかったかもしれません。高校生と大学の先生という異色のコンビでスタートしたから、率直に言う人・言われたら聞く人というかたちで、うまくバランスがとれたのかもしれない。今年からはあらためて同じ大学の教員と学生になりました。もしかしたら、次のステップに進むのかもしれません。

庭田　高校生のころ、広島テレビの新社屋で展覧会を開催しました。学校からは「大学生になってからやればいいのではないか」などと言われ、協力してもらえませんでした。でも中島地区の方がお元気なうちに、原爆投下前のしあわせな日常を感じられる空間を再現したいという私の想いを当初から理解して、どんな時も一緒にプロジェクトを進めてくれたのが渡邉先生でした。

渡邉　僕は逆に、庭田さんのおかげだと思っています。庭田さんが何かに熱中するとき、底意はなくて、純粋にやりたいからやっています。だから肩入れしたくなる。実際のところ、庭田さんはやりたいことに貪欲です。いまはパノラマツアーを作成するソフトやウェブサイトの開発法を習得しているところですが、やりたいことのために、学業で忙しいかたわら、懸命に時間をみつけだし、取り組みます。

〈野心〉とは自分のため、〈野望〉は世界のため、だと仮に定義すれば、たいていの人が何かしらの野心を心の裡に持っているはずです。しかし、庭田さんには野心ではなく野望がある。

庭田さんに、あるいはさらにその下の世代に伝えたいことがあるとすれば、無垢なままでいい、ということです。

人は、生きていくなかでいつのまにか小器用になってしまいますが、元々はピュアなはずです。必要なテクノロジーは身の回りにたくさん転がっています。世の中を渡っていくための言い訳で人生をこしらえていくのではなく、純粋で無垢なまま、コミュニケーションのためのいろんなテクノロジーを身につけて自立していく、そういう人が増えてほしい。

アフター・コロナ、ウィズ・コロナの世界では、人間の像がより見えやすくなると思います。たとえばハンコを押すためだけの出勤、形式的な会議のために何十人も一箇所に集まらなければならない、そうした不条理に、僕らはこれまで目をつぶってきました。今後はそういう意味のないしきたりと足枷を外して、本質である純粋な想いをからだの真ん中に抱えたまま、生きていける時代になるかもしれません。

いまここにいる庭田さんが、まさにそうです。

三カ月後、朝のテレビ番組で東大の研究室にいる渡邉さんと庭田さんの姿が放送された。共著のカラー化写真集の最初と最後に収められている一枚の写真――一九四六年八月五日、原爆投下から一年後の広島市八丁堀の福屋デパート屋上から、焼け野原となった市街を見つめるカップル――に写っている男性が見つかったのだ。番組は「74年後の奇跡」として、出版後に思いがけない展開を生んだ軌跡を伝えていた。隣にいる女性は当時の恋人で、つい先だって亡くなった私の妻・百合子だと九〇歳の川上清さんは言う。庭田さんが恩師に本を贈り、その恩師の知人が川上さんに本を送ったことで、手繰り寄せた縁だった。

庭田さんは、当時一六歳だった川上さんの「まだ煙が立ちそうな様子で、もっと黒っぽかった」という証言などをもとに、ふたりの服装や焼け野原の色補正をし、川上さんが持っていた〈記憶の色〉を再現した。その色は本に綴じられた色よりも、灰色がかっていた。屋上から見ていた視線の先には、川上さんの自宅があり、原爆で亡くした大切な人をしのんでいたという。そんな中、「焼け跡をふたりで手を繋いで歩いた、楽しかった」と川上さんが喜ぶ姿に、わたしはテレビの前で胸が熱くなるのを感じた。

以前、お父さんと二歳で別れた佐藤勉さんに、父・冨五郎さんの白黒写真をカラー化できたら見てみたいかと訊ねたところ、勉さんは首を横に振ったことがあった。一九四一年生まれの勉さんは、冨五郎さんの〈記憶の色〉を持たない。冨五郎さんを憶えている家族や親戚も亡くなっていた。ＡＩ技術によって写真が色づいたところで、勉さんのお父さんとの記憶や失われた物語が呼び覚まされることはない。庭田さんが〈記憶の色〉を持つ人に出会い、記憶がよみがえる喜びを分かち合えることが、どれほど稀有なことであるかを思い知る。

戦前・戦争の記憶を持つ人に、もうすぐ会えなくなる。でも〈記憶の色〉をたどる旅は、はじまったばかりだ。きっと今日もふたりは、未来のテクノロジーを用いたあたらしい伝え方を模索しながら、希望をもって過去を見つめている。

おわりに

こういう本があったらと思う本を、自由に、とても自由に編ませてもらった。

企画がうまれたのは、二〇一八年、夏。最初の本の版元であり編集者の岡田林太郎さんと、どういう話の流れだったか、今、読みたい本の話になった。わたしが読みたい本は、まだこの世になかった。ないなら作りましょう、と岡田さんは言った。

実際に動き出したのは、二〇一九年、春。こんな機会はもうないだろうと、前回同様、これが最後の本づくりだと思って、尊敬する表現者、憧れの歴史実践者にインタビューをお願いした。

毎回、依頼状を書いた後、祈るような気持ちで返事を待った。前向きな返信を受け取った日は、天にも昇る気持ちで一日を過ごした。取材であたたかいもてなしを受け、恐縮することもたびたびあった。会いたい人に会い、それぞれに異なる戦争観や表現への想いに耳を傾ける時間は、何にも代えがたい贅沢なひとときだった。本づくりの楽しさとよろこびを噛み締めていた。

ところが、この本を編んでいる途中から疫病によって世界は大きく変わった。取材も最後の三回はすべてオンラインに切り替えた。画面越しに互いの顔を見て話し、資料を画面で共有しても、本づくりはできる。テクノロジーの恩恵にあやかりながらも、取材日の天気を気にしたり、見知らぬ土地を歩く楽しさを感じたり、同じ場所にいるからこそうまれるコミュニケーションを愛おしく思った。

当初、取材の後に、全員と往復書簡を交わす企画があった。家で過ごす時間が増え、書く時間もある。それなのに、ささくれ立つ感情がどうしても混じり込んでしまう。社会的な課題が露呈し、〈ひとりひとり〉の切実な声が多様化する一方、日本の政治はその声から遠くにいる人たちのために動いているように見える。もどかしさや矛盾をつよく抱き続けながら送る日常は心身ともに不健康で、油断すると自分自身も分断に加担していた。月日が経っても、思うように手紙が書けず、かなしいけれど断念した。

心が荒んでいると、文章を読んでいるつもりでも読めていない。ほんとうに書きたいことばも見つからない。刻々と変わる日々の中で、理解していたはずのことばが、違う意味を持って感じられることもよくあった。その度に原稿を作り直した。その間、配信で表現者それぞれの演奏や演劇、トークを鑑賞した。夏以降は、展覧会やライブ会場にも足を運んだ。そしてまた改稿した。心が波立つなか本を編むことは思った以上に困難だったが、それでも一〇組一三人の方とつくるこの本は心の拠り所になっていた。

「たまには気分転換に、ふだん見ないものを見てきてください」

いよいよ本のおわりが見えてきたにもかかわらず、歴史実践は楽しいということさえ忘れてしまっていたわたしを見兼ねたのか、岡田さんが一枚のチケットを贈ってくれた。それは、被爆者の証言をもとに広島の高校生たちが「原爆の絵」を描く取り組みを舞台化した福山啓子作・演出『あの夏の絵』の公演チケットだった。

わたしが観たのはちょうど一〇〇回目の公演で、「原爆の絵」の取り組みを一〇年以上研究してきた社会学者・小倉康嗣さんがアフタートークのゲストに登壇した。被爆者との対話を重ねるうちに、高校生たちが訥々と語り始めることばに、小倉さんは何度も震えたという。今まで語られることがなかった被爆者の記憶が、高校生との対話で少しずつ蘇っていく。劇中で丁寧にえがかれていたその過程は、本書の中でも何人かの表現者が語っていたことを想起させた。そしてまた、高校生が絵を描く覚悟が決まるまで逡巡する姿や衝突しながらお互いを支え合うようになっていく関係性に、かつてのわたしや、友人を重ねて見ていた。気付いたら中盤から、わたしは一時間近く泣き続けていた。〈特別な時間のおわり〉に、この瞬間もどこかで歴史実践が行われていることを想った。

「事実も大事だけれど、それ以上に大事なのは、被爆者が何を伝えたいのか」——誰にも語ることができなかった体験を背負って生きてきた被爆者の想いを受け止めようとする高校生が、被爆者の〈想い〉をキャンバスに塗り重ねていく。想像を絶する被爆者の体験を聴き、被爆者と自身の隔たりを感じることで、自我を解き放ってキャンバスに向かうようになる高校生の姿に、小倉さんは「人間の本質を見るような気がした」とも語っていた。真摯さを真ん中に、歴史実践をしていくと、他者と共有し難い体験であっても、他者とのつながりを育む生き生きとしたものへと変わりうる。そうした対話と実践のさまざまなあり方を、わたしもほんとうに素敵な表現者の方々に教えてもらった。出発点や目指す地点はそれぞれに異なりつつも、交わりあい、響きあう語りから、いくつもの補助線を引くことができる。この本から新たな対話が生まれることを願う。

小泉明郎さんとの対話を見守ってくださった田中祐介さん。ご自宅へ招いてくださった小泉明郎さんとご家族のみなさま。ハノイで四日間もお世話になった遠藤薫さんとご家族のみなさま。畑澤聖悟さんのオンライン取材に立ち会ってくださった工藤千夏さん。そして取材を受けてくださった一三名のみなさま、本当にありがとうございました。

映画づくりから配給まで、いつも一緒に悩みながら作品を届けるプロデュースをしてくれている藤岡みなみさん。精神的に不安定な時期が続いた期間、励まし続けてくれた寺尾佳恵さん。今回も迅速かつ正確に組版を進めてくださった江尻智行さん。マーシャル諸島のスティック・チャート（海図）をモチーフに、海風と旅を感じる装釘にしてくださった宗利淳一さん。最後まで信じて待ち続けてくださった岡田林太郎さん。この本を手に取ってくださったみなさまに、心から感謝いたします。

最後に。

自分に正直に、誠実に、表現する歴史実践の先達であり、風化しないジャーナリズムとしての映画の力を信じていた大林宣彦監督を、想いながら編みました。

監督がどんなときも信じていた未来を、いまを、生きる人たちに、この本が届くことを願っています。

二〇二〇年一二月

大川史織

プロフィール

凡例

- プロフィールは掲載順。
- 本書に関連する代表作・公式サイトなどはとくに別記した。
- 〈3つの質問〉は取材当日に手書きしたもの。

1. 今朝、気になったニュースは?
2. 好きな音を教えてください。
3. どのように死にたいですか?

小泉明郎

（こいずみ・めいろう）

1976年群馬県生まれ。横浜市在住。1999年国際基督教大学卒業。その後、チェルシー・カレッジ・オブ・アート・アンド・デザイン（ロンドン）にて映像表現を学ぶ。現在は国内外で滞在制作し映像やパフォーマンスによる作品を発表している。主な個展に「バトルランズ」（ペレズ・ミュージアム・マイアミ、2019年）、「捕われた声は静寂の夢を見る」（アーツ前橋、2015年）、「Project Series 99: Meiro Koizumi」（ニューヨーク近代美術館、2013年）など。作品はテート・ギャラリー（ロンドン）、ニューヨーク近代美術館MOMA（ニューヨーク）、アムステルダム市立近代美術館（アムステルダム）、国立国際美術館（大阪）、国立近代美術館（東京）などに収蔵されている。

◎『捕われた声は静寂の夢を見る』（現代企画室、2015年）
◎公式サイト　https://www.meirokoizumi.com/

〈3つの質問〉

1.

中日ドラゴンズの勝利。

2.

自分の子供が家の中を歩きまわる時の
ペタペタという音。

3.

遠くにある山を見ながら。

諏訪 敦

Suwa Atsushi

（すわ・あつし）

1967年北海道生まれ。画家。武蔵野美術大学大学院修士課程修了。1994年、文化庁派遣芸術家在外研修員として渡西。1995年、バルセロ財団主催国際絵画コンクール大賞受賞。2011年NHK『日曜美術館　記憶に辿りつく絵画～亡き人を描く画家～』、2016年には『ETV特集』等が放送され、取材プロセスを重視した制作の徹底性が、一般層にも広く知られる事となった。主な個展に「諏訪敦絵画作品展～どうせなにもみえない」（諏訪市美術館、2011年）、「諏訪敦 2011年以降／未完」（三菱地所アルティアム、2017年）、絵画作品集に『Blue』（青幻舎、2017年）など。2018年より武蔵野美術大学造形学部油絵学科教授。

◎『諏訪敦 絵画作品集〈1995 - 2005〉』（求龍堂、2005年）
◎『どうせなにもみえない――諏訪敦絵画作品集』（求龍堂、2011年）
◎『諏訪敦 絵画作品集 Blue』（青幻舎、2017年）
◎公式サイト　http://atsushisuwa.com/

〈3つの質問〉

1.

京都アニメーション放火事件。
死亡者35人に。

2.

カンタンという昆虫の羽音

3.

「死ぬ――」とか散々家族に
迷惑をかけつつ。死ぬのも
いいのかも知れません。

武田一義

Takeda Kazuyoshi

（たけだ・かずよし）

1975年北海道生まれ。師匠である奥浩哉先生の元でアシスタントを務めた後、2012年、自身の闘病体験を綴った『さよならタマちゃん』（講談社）でデビュー。同作がマンガ大賞2014年第3位に選出されるなど、注目を集める。2016年、ヤングアニマル（白泉社）にて『ペリリュー――楽園のゲルニカ』連載開始。丁寧な取材に基づいた戦争のリアルな描写が評判を呼び、2017年第46回日本漫画家協会賞優秀賞を受賞。以降、特徴的な優しい絵柄と丁寧な語り口で描かれる作品を発表している。

◎『ペリリュー　楽園のゲルニカ』1巻～（白泉社、2016年～）
◎『さよならタマちゃん』（講談社、2013年）
◎公式ブログ　http://144takeda.blog.fc2.com/

〈3つの質問〉

1.

千葉県と伊豆大島の台風被害

2.

朝夕の鳥の声

3.

眠ってる間に妻と一緒に

高村 亮

Takamura Ryo

（たかむら・りょう）

1989年高知県生まれ。2011年、（株）白泉社に入社。ヤングアニマル編集部に配属され漫画の編集者を務める。2016年より『ペリリュー――楽園のゲルニカ』を担当。

〈3つの質問〉

1.

千葉県で台風の影響で停電がまだ続いているというニュース。電気・水が使えないので、小さな子供や病人など影響を心配しています。

2.

飼ってる犬の鳴き声、寝息。

3.

子供の成長を出来るだけ見届けて死にたいです。

遠藤 薫

Endo Kaori

（えんどう・かおり）

1989年大阪府生まれ（曽祖母は樺太生まれ）。沖縄県立芸術大学工芸専攻染織科、志村ふくみ（紬織、重要無形文化財保持者）主催のアルスシムラ卒業。主な展覧会に「クロニクル、クロニクル！」（CCO クリエイティブセンター大阪、2016 ～ 17年）、「Bangkok Biennial 2018『BARRAK : survibes』」（White Line、2018年）、「『いのちの裂け目——布が描き出す近代、青森から』展」（青森公立大国際芸術センター、2020年）など。2019年に「VOCA展2019 現代美術の展望——新しい平面の作家たち」佳作受賞、「第13回 shiseido art egg」art egg大賞受賞。

◎『遠藤薫　重力と虹霓』展覧会　会場配布パンフレット（非売品）
◎「第七七官界彷徨」（『群像』講談社、2020年）
◎公式サイト　https://www.kaori-endo.com/

〈3つの質問〉

1.

すいません、おにぎりを
作ってたので、知らないです。
まだ。

2.

人の声

3.

自分で決める

寺尾紗穂

Terao Saho

（てらお・さほ）

1981年東京都生まれ。2007年アルバム『御身』でピアノ弾き語りデビュー。『転校生　さよならあなた』（大林宣彦監督作品、2007年）、『0.5ミリ』（安藤桃子監督作品、2014年）などの主題歌に選ばれたほか、CM音楽制作（ドコモ、三井のリハウス等）も多数手掛ける。ウェブや新聞での連載が多く、著書に『評伝　川島芳子――男装のエトランゼ』（文春新書、2008年）、『原発労働者』（講談社現代新書、2015年）、『南洋と私』（リトルモア、2015年）、『あのころのパラオを探して』（集英社、2017年）、『彗星の孤独』（スタンドブックス、2018年）など。各地のわらべうたや労作歌を調べて歌うことと共に、戦争体験者や引揚げ後の開拓経験者への取材を続けている。最近の興味は、姥神と風の信仰。

◎『南洋と私』（リトルモア、2015年）
◎『あのころのパラオをさがして』（集英社、2017年）
◎『彗星の孤独』（スタンド・ブックス、2018年）
◎公式サイト　http://www.sahoterao.com/

〈3つの質問〉

1.

群馬で「まちのほけんしつ」という居場所ができること。ひきこもり、不登校、性的少数者など生きづらさを感じる人は誰でも集うことができるそう。

2.

しじゅうからの声

3.

ライブに行った地方のホテルで公演後に死にたい。

土門 蘭

Domon Ran

（どもん・らん）

1985年広島県生まれ。同志社大学文学部卒。出版社、ウェブ制作会社で勤務後、2017年に出版業を行う合同会社文鳥社を設立。小説・短歌などの文芸作品や、インタビュー記事の執筆を行う。著作に歌集『100年後あなたもわたしもいない日に』（寺田マユミとの共著、文鳥社、2017年）、インタビュー集『経営者の孤独。』（ポプラ社、2019年）、小説『戦争と五人の女』（文鳥社、2019年）がある。

◎『戦争と五人の女』（文鳥社、2019年）
◎『経営者の孤独。』（ポプラ社、2019年）
◎公式ブログ　https://note.com/yorusube

〈3つの質問〉

1.

「インタビュー」についての論争（SNS上での）

、インタビューを受ける側にインタビューについてのリテラシーは必要なのか？

、そもそもインタビューとは、コンテンツなのかニュースなのかPRなのか、、、

2.

雨の音

3.

眠るように死にたい

柳下恭平

Yanashita Kyohei

（やなした・きょうへい）

1976年生まれ。さまざまな職種を経験、世界中を放浪したのちに、出版に落ち着く。2006年、校正・校閲を専門とする鷗来堂を立ち上げる。2014年末、神楽坂に書店「かもめブックス」を開店。2017年、出版業・執筆業を行う合同会社文鳥社を設立。

〈3つの質問〉

1.

家の下にやきとり屋さんがあるのですが、
外に出されていたおしぼりをカラスが持っていって、
それを見た大家さんがおこって、ご近所でもめて、
という話を聞いたことです。

2.

水琴くつの音。

3.

官能です

後藤悠樹

（ごとう・はるき）

1985年大阪府生まれ。日本写真芸術専門学校卒業。2006年よりライフワークとしてサハリン（樺太）の撮影を始め、定期的に長期滞在を繰り返す。著書に『サハリンを忘れない――日本人残留者たちの見果てぬ故郷、永い記憶』（DU BOOKS、2018年）、『サハリン残留――日ロ韓100年にわたる家族の物語』（高文研、2016年、主に写真担当）など。近年の写真展は「Всматриваясь в Сахалин（邦題：サハリンを見つめて）」（サハリン州立美術館、2018年）、「サハリンを忘れない」（神楽坂セッションハウス、2018年）など。現在写真館勤務。

◎『サハリンを忘れない――日本人残留者たちの見果てぬ故郷、永い記憶』（DU BOOKS、2018年）
◎公式サイト　https://www.goto-haruki2.com/

〈3つの質問〉

1.

コロナ

2.

雪の降る音

3.

考え中

小田原のどか

Odawara Nodoka

（おだわら・のどか）

1985年宮城県生まれ。芸術学博士（筑波大学）。主な展覧会に「あいちトリエンナーレ2019」、「近代を彫刻／超克する」（個展、トーキョーアーツアンドスペース、2019年）、「PUBLIC DEVICE」（共同キュレーター、東京藝術大学大学美術館陳列館、2020年）。主な編著に『彫刻1——この国の彫刻のはじまりへ／空白の時代、戦時の彫刻』（トポフィル、2018年）、『彫刻の問題』（トポフィル、2017）。『芸術新潮』『東京新聞』『群像』「美術手帖（ウェブ版）」にて美術評を連載。最近の論考に「われ記念碑を建立せり——水俣メモリアルを再考する」（『現代思想』2020年2月臨時増刊号、磯崎新特集号、青土社）など。

◎『彫刻の問題』（トポフィル、2017年）
◎『彫刻　SCULPTURE1——空白の時代、戦時の彫刻／この国の彫刻のはじまりへ』（トポフィル、2018年）
◎『アートライティング　記録資料と芸術表現』（藝術学舎、2019年）
◎公式サイト　http://www.odawaranodoka.com/

〈3つの質問〉

1.

旭川出身の彫刻家・砂澤ビッキの木彫が倒壊したというニュース。

2.

庭の木々が風でゆれる音。鳥のさえずり。自宅にいて聞こえる音が好きです。

3.

自らを振り返り、やりたいことだけをやったと、そのことを誇りに感じながら路傍で死にたいです。

畑澤聖悟

Hatasawa Seigo

（はたさわ・せいご）

1964年秋田県生まれ。劇作家・演出家。劇団「渡辺源四郎商店」主宰。青森市を本拠地に全国的な演劇活動公演を行っている。2005年『俺の屍を越えていけ』で日本劇作家大会短編戯曲コンクール最優秀賞受賞。2017年『親の顔が見たい』が20世紀フォックスコリアによって映画化。ラジオドラマの脚本で文化庁芸術祭大賞、ギャラクシー大賞、日本民間放送連盟賞など受賞。現役高校教諭で演劇部顧問。指導した青森中央高校と弘前中央高校を10回の全国大会に導き、最優秀賞3回、優秀賞5回受賞している。

◎DVD『修学旅行』（作・演出：畑澤聖悟）
◎公式サイト　https://www.nabegen.com/
◎一般社団法人「進め！　青函連絡船」公式サイト https://nabegenhp.wixsite.com/skrenrakusen

〈3つの質問〉

1.

原発避難所では原則換気せず。

2.

5月の朝に遠くで鳴いてるひばり。
7月の夜の雨音。

3.

若いうちはいろいろ考えましたが、
いざ近くなってみるとよくわかりません。

庭田杏珠

Niwata Anju

（にわた・あんじゅ）

2001年広島県生まれ。東京大学在学。2017年、中島地区（現在の広島平和記念公園）に生家のあった濵井德三氏と出会い、「記憶の解凍」の活動を開始。展覧会、映像制作、アプリ開発などを通して、戦争体験者の「想い・記憶」の継承に取り組む。国際平和映像祭（UFPFF）学生部門賞（2018年）、「国際理解・国際協力のための高校生の主張コンクール」外務大臣賞（2019年）などを受賞。

◎『AIとカラー化した写真でよみがえる戦前・戦争』（光文社、2020年）
◎「記憶の解凍」ARアプリ　http://wtnv-lab.github.io/rebootingMemories/
◎映像作品「「記憶の解凍」カラー化写真で時を刻み、息づきはじめるヒロシマ　庭田杏珠×山浦徹也」 https://youtu.be/Fhf0VEEzQbk

〈3つの質問〉

1.

広島市平和記念公園レストハウスの
リニューアルオープン。
3階の旧中島地区の常設展示室で、
「記憶の解凍」プロジェクトコーナーに携わったから
です。

2.

水の音
・小川のせせらぎ
・お風呂の湯船の音

3.

家族に見守られながら
穏やかに亡くなりたいです。

渡邉英徳

Watanave Hidenori

（わたなべ・ひでのり）

1974年大分県生まれ。東京大学大学院教授。博士（工学）。首都大学東京（東京都立大学）准教授、ハーバード大学客員研究員などを歴任。情報デザインとデジタルアーカイブを通した「記憶の継承」のあり方について研究を進める。2016年より白黒写真のカラー化を始め、2018年より庭田と共同で「記憶の解凍」プロジェクトに取り組む。日本新聞協会賞（岩手日報社との共同研究成果、2016年）などを受賞。

◎ヒロシマ・アーカイブ　https://hiroshima.mapping.jp/
◎ Twitter：渡邉英徳　https://twitter.com/hwtnv

〈3つの質問〉

1.

「軽症は気にしなくていい」
都と官邸、経済との両立優先（朝日新聞）

2.

南極で堀り出された「10万年前の氷」が
グラスの中で解けていく音

3.

人となり、性格ではなく
「つくったもの」を想い出して欲しい。

主要参考文献

※最も参照した各氏の主要作品はプロフィールページに記した。ここではそれ以外の資料を挙げる。

〈小泉明郎〉

近藤健一・町野加代子編『MAM project 009 小泉明郎』（森美術館、二〇〇九年）

小泉明郎・小泉有加「ヴィデオ・アートの「読み方」「つくり方」」（佐藤元状・坂倉杏介編『メディア・リテラシー入門――視覚表現のためのレッスン』慶應義塾大学出版会、二〇一〇年）

近藤一・宮城道良『最前線兵士が見た「中国戦線・沖縄戦の実相」――加害兵士にさせられた下級兵士』（学習の友社、二〇一一年）

サイト・イン・レジデンス実行委員会「サイト・イン・レジデンス２０１４「環世界 資料室」」（サイト・イン・レジデンス実行委員会、二〇一五年）

〈諏訪敦〉

ＮＨＫ「ＥＴＶ特集　忘れられた人々の肖像～画家・諏訪敦〝満州難民〟を描く」

https://www.nhk.or.jp/etv21c/archive/160402.html

〈武田一義×高村亮〉

ヤングアニマル特別編集戦後70周年記念ムック『漫画で読む、「戦争という時代」』（白泉社、二〇一五年）

『毎日新聞』「戦争を知らないけれど1」（二〇一八年八月一四日）

「その1　42歳、玉砕を漫画に　生還兵「あなたは戦ったのか」」

「その2　戦場のリアルに苦悩　ペリリュー元兵士「軽すぎる」　漫画家、拒絶胸に「伝えたい」」

〈遠藤薫〉

花森安治『暮しの手帖』（1世紀90号、一九六七年／2世紀43号、一九七六年）

開高健『輝ける闇』（新潮社、一九八二年）

志村ふくみ『色を奏でる』（筑摩書房、一九九八年）

斉藤光政編集／沢田サタ協力『戦場カメラマン沢田教一の眼』（山川出版社、二〇一五年）

石川文洋『戦場カメラマン』（筑摩書房、二〇一八年）

沢山遼「重力という経糸、恩寵という緯糸」（『遠藤薫　重力と虹霓』展覧会パンフレット、二〇一九年、非売品）

〈寺尾紗穂〉

『Thousands Birdies' Legs』「Mr. Saipan」（二〇〇八年）

駐日パラオ共和国大使館『パラオ・日本外交関係樹立25周年記念誌』（駐日パラオ共和国大使館、二〇一九年）

寺尾紗穂「パラオ再訪」（『すばる』一月号、集英社、二〇二〇年）

〈土門蘭×柳下恭平〉

土門蘭／寺田マユミ絵『100年後あなたもわたしもいない日に』（文鳥社、二〇一七年）

土門蘭「小説『戦争と五人の女』について」
https://note.com/yorusube/n/n85478415cc35

〈後藤悠樹〉

開高健『人とこの世界』（筑摩書房、二〇〇五年）

吉武輝子『置き去り――サハリン残留日本女性たちの六十年』（海竜社、二〇〇五年）

玄武岩、パイチャゼ・スヴェトラナ／後藤悠樹写真『サハリン残留――日ロ韓100年にわたる家族の物語』（高文研、二〇一六年）

後藤悠樹ブログ「本が出ました。」
https://www.goto-haruki2.com/

ほぼ日刊イトイ新聞「サハリンにこういうおばあさんがいましたよって伝えてね。」
https://www.1101.com/haruki_goto/2013-11-19.html

〈小田原のどか〉

川村湊編『中島敦　父から子への南洋だより』（集英社、二〇〇二年）

井上亮『忘れられた島々――「南洋群島」の現代史』（平凡社、二〇一五年）

小田原のどか「われ記念碑を建立せり――「水俣メモリアル」を再考する」（『現代思想』青土社、二〇二〇年）

小田原のどか「不可視の記念碑」（『群像』九月号、講談社、二〇二〇年）

小田原のどか「彫刻を見よ――公共空間の女性裸体像をめぐって」
https://artscape.jp/focus/10144852_1635.html

〈畑澤聖悟〉

畑澤聖悟『母と暮せば』台本（非売品）

渡辺源四郎商店『WS解説冊子　演じて、観て、考える。なべげんの演劇体験ワークショップ』（渡辺源四

郎商店、二〇〇九年）
畑澤聖悟『親の顔が見たい』（晩成書房、二〇〇九年）
畑澤聖悟『もしイタ〜もし高校野球の女子マネージャーが青森の「イタコ」を呼んだら』（上演台本、渡辺源四郎商店、二〇一一年）
畑澤聖悟『翔べ！原子力ロボむつ』（上演台本、渡辺源四郎商店、二〇一二年）
RAB青森放送「RABドキュ私たちは忘れない！〜高校生が向き合った青森空襲」（RAB青森放送、二〇一九年五月二六日放送）
一般社団法人「進め！　青函連絡船」『藍より青い海』（DVD、一般社団法人「進め！　青函連絡船」二〇一九年）
一般社団法人「進め！　青函連絡船」『進め！　青函連絡船Vol.2 2020年号　特集　昭和39年と『私と空と八甲田丸』』（一般社団法人「進め！　青函連絡船」二〇二〇年）
ステージナタリー「そのとき、何を思い、何をしましたか？　第3回　少しずつ前へと進む、劇作家、演出家、俳優、舞台スタッフたち」
https://natalie.mu/stage/column/377220/page/3

〈庭田杏珠×渡邉英徳〉

渡邉英徳「「記憶の解凍」——資料の〝フロー〟化とコミュニケーションの創発による記憶の継承」（『立命館平和研究』第一九号、二〇一八年）
渡邉英徳・庭田杏珠「「記憶の解凍」——カラー化写真をもとにした〝フロー〟の生成と記憶の継承」（『デジタルアーカイブ学会誌』Vol.3, No.3、二〇一九年）
渡邉英徳「広島テレビ 新社屋「記憶の解凍」展覧会」
http://www.iii.u-tokyo.ac.jp/research/180122rebootmemories
渡邉英徳ほか「TUVALU VISUALIZATION PROJECT」
http://tv.mapping.jp/
渡邉英徳ほか「ナガサキ・アーカイブ」
http://nagasaki.mapping.jp/
日本テレビ「74年後の奇跡 焼け跡写真〝本人〟を発見　戦後1年カラーでよみがえる記憶」（日本テレビ「スッキリ！」二〇二〇年一〇月一二日放送）
デジタルアーカイブ産学官フォーラム（第二回）
https://www.kantei.go.jp/jp/singi/titeki2/forum/2018/gijisidai.html

大川史織

（おおかわ・しおり）

1988年神奈川県生まれ。映画監督。慶應義塾大学法学部政治学科卒。
マーシャル諸島で戦死（餓死）した父を持つ息子の慰霊の旅に同行した
ドキュメンタリー映画『タリナイ』（2018年）で初監督。

編著書に
『マーシャル、父の戦場――ある日本兵の日記をめぐる歴史実践』
（みずき書林、2018年）。両作品で山本美香記念国際ジャーナリスト賞・奨励賞受賞。

なぜ戦争をえがくのか
戦争を知らない表現者たちの歴史実践

二〇二一年一月九日　初版発行
二〇二四年七月三日　第二刷発行

編著者　大川史織
発行者　岡田林太郎
発行所　株式会社みずき書林
〒一五〇－〇〇一二　東京都渋谷区広尾一－七－三－三〇三
TEL〇九〇－五三一七－九二〇九　FAX〇三－四五八六－七一四一
rintarookada0313@gmail.com
https://www.mizukishorin.com/

印刷　藤原印刷株式会社
製本　加藤製本株式会社
組版　江尻智行
装釘　宗利淳一

ISBN 978-4-909710-15-4　C0021